Rosemary Kocher

Melodie meines Lebens

Rosemary Kocher

Melodie meines Lebens

Bibliografische Information der Deutschen Nationalbibliothek:
Die Deutsche Nationalbibliothek verzeichnet diese Publikation in der Deutschen Nationalbibliografie; detaillierte bibliografische Daten sind im Internet über http://dnb.d-nb.de abrufbar.

Coverfoto: Sergio Kumer, istockphoto
Lektorat und Satz: Hauke Burgarth
Korrektorat: Dr. Tabea Amon
Hersteller und Verlag: BoD – Books on Demand, Norderstedt

ISBN 978-3-7526-4280-3

Widmung

Ich möchte Gott, dem Allmächtigen, und meinem Erlöser und Erretter Jesus Christus danken für die Möglichkeit, dieses Buch zu veröffentlichen. Möge sein Name dadurch verherrlicht werden, und möge es viele Menschen inspirieren, ermutigen und segnen.

Das vorliegende Buch möchte ich insbesondere meinem lieben Mann Peter widmen.
Es ist meinen geschätzten Töchtern Beatrice, Andrea und Nathalie, meinen Söhnen Manuel und David, ebenfalls meinen Schwiegersöhnen und Schwiegertöchtern sowie meinen Enkelkindern gewidmet.
Genauso meinem geistlichen Vater Apostel John Sagoe und seiner lieben Frau Pastorin Sandra. Sie sind Gründer und Leiter der New-International-Church-Bewegung mit Hauptsitz in Biel/Schweiz.
Das Buch ist allen Freunden und Verwandten und allen denen gewidmet, die gerne Biografien lesen.

Ein herzlicher Dank geht insbesondere an Herrn Hauke Burgarth, der das Lektorat und die Korrektur vorgenommen und das Buch bis zum Druck fertiggestellt hat. Ebenso einen herzlichen Dank an Frau Dr. Tabea Amon für das Durchlesen des Manuskripts und die orthographischen Korrekturen.
Ein herzlicher Dank auch meinem lieben Mann Peter, er hat mich mit viel Weisheit und Geduld unterstützt.

Inhalt

Geleitwort

Rosemary Kocher ist eine erstaunliche Frau Gottes mit unaufhörlicher Leidenschaft für Christus und die Dinge des Königreichs. Ich kenne sie bereits über ein Jahrzehnt. Seit Rosemary in unsere Gemeinde kam, bewies sie immerwährende Liebe gegenüber der Sache Gottes und gegenüber seinem Volk. Deshalb empfehle ich dieses Buch.

Es wird für dich ein mächtiger Segen sein, wenn du die Biografie dieser grossartigen Frau Gottes liest. Du wirst dadurch verstehen, wie Gott ihr während ihrer Lebensreise Dinge geoffenbart hat.

Ich glaube, dass Segen und Ermutigung von diesem Buch ausgehen werden, weil es voll von Zeugnissen ist. Durch das Lesen wird Gott verherrlicht und du kannst miterleben, wie er Rosemary durch das Leben hindurchgetragen hat. Ich möchte jede Person, die dieses Buch liest, ermutigen, offen zu sein für das Wirken des Heiligen Geistes, denn er ist der Grund dafür, dass es das Buch gibt, du wirst ihm dadurch begegnen.

Rosemary ist eine Frau, die der Heilige Geist von Herrlichkeit zu Herrlichkeit getragen hat auf ihrer Reise mit Gott. Du wirst durch sie ein besseres Verständnis dafür bekommen, was es braucht, um treu zu sein. Mich persönlich berührt es, mit anzusehen, wie Rosemary all die Jahre hindurch Herausforderungen im Leben bewältigt hat wie die Krankheit ihres Ehemannes oder andere schwierige Umstände. Möge Gott dich reichlich segnen, wenn du dieses Buch liest.

Apostel John E. Sagoe

Vorwort

Das Wort Gottes ist Leben, Licht, Kraft und Wegweisung.

«Ich bin das A und das O, der Erste und der Letzte, der Anfang und das Ende» (Offenbarung 22,13).

Schon längere Zeit bewegte mich der Gedanke, ein Buch zu schreiben. Es ist mir ein Anliegen, meine Lebensereignisse und Erfahrungen mitzuteilen. Es bewegt mich, die Liebe Gottes an meine Mitmenschen weiterzureichen.

Am 6. April 2020 sprach Jesus zu meinem Mann Peter, wir sollten während 21 Tagen fasten und beten. Es hätte eine grosse Bedeutung bezüglich der Passah-Zeit. Die Bibel beschreibt diese Passah-Zeit in 2. Mose 16. Sie begann dieses Jahr am 8. April und endete am 16. April, dazwischen lag Ostern. Die Begebenheit war folgende: Wir sehen, wie Gott das Volk Israel aus der Sklaverei Ägyptens herausführte und in das verheissene Land brachte.

«Es war aber nahe dem Passah der Juden, und viele gingen aus dem Land hinauf nach Jerusalem vor dem Passah, um sich zu reinigen» (Johannes 11,55).

«Und der König befahl dem ganzen Volk: Feiert dem HERRN, eurem Gott, ein Passah, wie in diesem Buch des Bundes geschrieben steht!» (2. Könige 23,21).

«Als aber Jesus zu Jerusalem war, am Passah, auf dem Fest, glaubten viele an seinen Namen, als sie seine Zeichen sahen, die er tat» (Johannes 2,23).

So starteten wir gleich an diesem Tag mit dem Fasten und Beten im Glauben und Vertrauen auf eine mächtige Begegnung mit Gott.

Im Verlauf des Buches werden wir verschiedene Passagen sehen, die diese Fastenzeit widerspiegeln. Durch Fasten und Gebet reinigen wir unseren Geist und Körper von Unreinheiten und negativen Haltungen. Wir konzentrieren uns auf die Dinge Gottes. Somit können wir unseren Fokus besser auf Jesus richten, seine Stimme wahrnehmen und den Willen Gottes für unser Leben erkennen. Unser Glaube kann dadurch aufgebaut und stärker werden.

Es ist auch eine Zeit der völligen Hingabe in der Gemeinschaft mit Jesus, ein sich Absondern und Demütigen vor Gott. *«Die Ehrfurcht vor Gott ist der Anfang der Weisheit» (Sprüche 1,7).* Es ist auch eine Zeit, in der Gott Zeichen und Wunder tun kann, auf dass sein Name in dieser Welt verherrlicht wird. Damit die Welt erkennt, dass Gott noch immer auf dem Thron sitzt und die Herrschaft besitzt und über die Welt regiert.

In genau dieser Zeit leben wir, wo alles drunter und drüber geht, wo alles aus den Fugen zu geraten droht und nichts mehr so ist, wie es einmal war. Angst zieht die ganze Welt in ihren Bann. In solchen Zeiten müssen wir unsere ganze Aufmerksamkeit auf Gott und seinen Plan für die bestimmte Zeit richten. Deshalb kann eine Fastenzeit ein von Gott gegebenes Zeitfenster sein.

Eine Zeit des Fastens und Betens bringt oft unglaubliche Resultate hervor. Dieses Buch entsteht in einer aussergewöhnlichen, noch nie dagewesenen Zeit, in einer Zeit der weltweiten Corona-Pandemie 2020.

«Die ihr nun angenommen habt den Herrn Christus Jesus, so lebt auch in ihm, verwurzelt und gegründet in ihm und fest im Glauben, wie ihr gelehrt worden seid, und voller Dankbarkeit. Seht zu, dass euch niemand einfange durch die Philosophie und leeren Trug, die der Überlieferung der Menschen und den Elementen der Welt folgen und nicht Christus. Denn in ihm wohnt die ganze Fülle der Gottheit leibhaftig, und ihr seid erfüllt durch ihn, der das Haupt aller Mächte und Gewalten ist» (Kolosser 2,6-10).

«Dies habe ich zu euch geredet, damit ihr in mir Frieden habt. In der Welt habt ihr Bedrängnis; aber seid getrost, ich habe die Welt überwunden» (Johannes 16,33).

Nachts um Punkt vier Uhr morgens am 14. April 2020 weckte mich der Heilige Geist auf. Seine Stimme war klar und unmissverständlich zu vernehmen. Er sagte: «Beginne jetzt in dieser Zeit, dein eigenes Buch (deine Biografie) zu schreiben.»

Mein ganzes Leben lief wie ein Film an meinen Augen vorbei. Das war ein klares, eindeutiges Reden Gottes. Ich war so aufgeregt, dass ich nicht mehr einschlafen konnte. Am folgenden Morgen fing ich gleich an zu schreiben.

Der Heilige Geist, der mein Lehrer ist, zeigte mir den Titel des Buchs und die Themen auf, die ich wählen sollte. Er offenbarte mir ebenfalls die Strategie, wie ich vorgehen sollte, um das Manuskript zu schreiben. Nachdem das Manuskript geschrieben war, suchte ich im Internet nach einer Anleitung, wie ein Buch zu schreiben sei. Zu meinem Erstaunen waren es genau dieselben Schritte, die mir der Geist aufzeigte. Preis dem Herrn! Halleluja!

Das Manuskript konnte ich übernatürlich schnell, in nur sechs Tagen, schreiben. Ich bete, dass jede Person, die das Buch liest, ermutigt und gesegnet wird, sodass Herzen und Seelen begeistert werden und Freude und Hoffnung entstehen.

Es ist mein innigster Wunsch, Menschen berühren und ermutigen zu können, und zu sehen, wie Leben verändert und wiederhergestellt werden. Menschen, die schwere Zeiten durchmachen, die durch Leiden gehen, die keinen Ausweg mehr sehen. Ihnen durch das Wort Gottes Hoffnung, Sinn und Lebensfreude zu vermitteln, egal in welcher Situation sie jeweils stehen, ist mein Verlangen.

Kapitel 1: Meine Eltern – Kindheitserinnerungen

So lernten sich meine Eltern kennen: Meine Mutter ging täglich zu Fuss von Gibswil nach Fischenthal im Zürcher Oberland zur Arbeit. Mein Vater war als Melker auf einem Bauernhof angestellt. Sie begegneten sich jeden Tag zur selben Zeit. Täglich kreuzten sich ihre Wege. Mein Vater war auf dem Weg zur Käserei, wo er die Milch der Kühe hinbrachte, die er gemolken hatte.

Wie die Geschichte weiterging, kann sich jeder selbst ausmalen. Sie lernten sich kennen und entschieden sich, gemeinsam durchs Leben zu gehen. Am 13. September 1947 heirateten sie.

Hochzeit und Kinder

Ihre Hochzeitsreise führte sie für zwei Tage nach Grindelwald im Berner Oberland. Meine Eltern Paul Heinrich und Anna Elisabeth Stamm-Hofer wohnten in Schleitheim im Kanton Schaffhausen.

Nach der Heirat konnten sie einen Bauernhof im Sunnetal kaufen, im Heimatort meines Vaters, den sie für einige Jahre betrieben. Das Dorf war ein ausgesprochen klassisches, heimeliges Bauerndorf, nahe der deutschen Grenze gelegen.

Ich habe einen anderthalb Jahre älteren Bruder, der am 11. August 1948 in Schleitheim geboren wurde. Er trägt den Namen unseres Vaters, Paul. Am 17. Dezember 1949 wurde ich am selben Ort geboren.

Da der landwirtschaftliche Betrieb für meine Eltern nicht mehr den gewünschten Ertrag erbrachte, entschieden sie sich, ins Zürcher Oberland umzuziehen. Dort übernahmen sie den elterlichen Bauernhof (Beizi) von meiner Mutter.

Damals war ich eineinhalb Jahre alt, es war im Jahr 1951. Ebenfalls im Jahr 1951, am 17. November, kam mein Bruder Richard zur Welt, am 18. Mai 1953 wurde meine Schwester Ruth geboren, am 14. November 1960 erblickte mein jüngster Bruder Theo das Licht der Welt.

Auf einem wunderschön gelegenen Bauernhof mit Sicht in die Weite durften wir fünf Kinder in einer beschützen und sicheren Umgebung aufwachsen. Es war das Paradies.

Meine Eltern waren bibeltreue Christen. Sie stellten Jesus über die Familie und über die Arbeit. Es war ihnen ein grosses Anliegen, dass wir Kinder schon in früher Kindheit die Liebe Gottes kennenlernen durften und Jesus in unsere Leben aufnahmen.

Wir Kinder durften eine friedliche Kindheit geniessen. Dafür bin ich Gott bis heute sehr dankbar. Viele negative Dinge dieser Welt blieben mir dadurch erspart. Meine Eltern waren einfach die besten.

Jeden Sonntag begaben wir uns auf einen einstündigen Fussmarsch, um am Gottesdienst der Chrischona-Gemeinde in Wald teilzunehmen, der jeweils um 14 Uhr begann.

«Er kam in seine Welt, aber die Menschen wiesen ihn ab. Die ihn aber aufnahmen und an ihn glaubten, denen gab er das Recht, Kinder Gottes zu werden» (Johannes 1,11-12).

Uns Kinder erwartete jeweils der Sonntagsschul-unterricht, wo uns die biblischen Geschichten schmackhaft erzählt wurden. Jedes der Kinder durfte jeweils einen Batzen ins Kässeli werfen, mit dem die «armen Kinder in Afrika» unterstützt wurden. Später integrierte ich mich in die Jugendarbeit, die von der Gemeinde organisiert wurde. Das Umfeld, in dem ich mich bewegte, hatte einen grossen Einfluss auf mein Leben. Diese Jugendgruppe vermittelte mir Sicherheit und Schutz.

Ich muss sagen, dass ich keine Person bin, die ständig in der Vergangenheit gräbt oder lebt oder oft darüber nachdenkt.

Als ich jedoch begann, das Manuskript zu schreiben, und versuchte, mich an die Kindheit zu erinnern, waren diese Ereignisse so gegenwärtig, als wären sie eben gerade passiert. So sehr hatten sie sich mir offenbar eingeprägt.

Der Unfall

Ein einschneidendes Erlebnis in meinem Leben geschah, als ich sieben Jahre alt war, im Jahr 1956. Mein Vater fuhr ein Motorrad, eine BMW mit einem Sozius für zwei Personen. Eines Tages konnten sich meine Eltern einen freien Tag leisten. So fuhren sie ins Zürcher Unterland, um die Familie der Schwester meiner Mutter zu besuchen. Als sie auf der Strecke nach Wallisellen fuhren, geschah ein schwerer Unfall. Sie kollidierten mit einem Lastwagen. Meine Eltern wurden vom Motorrad auf die Strasse geschleudert. Schwer verletzt mussten beide ins Waidspital in Zürich eingeliefert werden.

Für die ganze Familie begann eine sehr schwere Zeit. Meine Mutter musste fünf Monate lang im Spital ausharren, weil sie mehrere Beinbrüche hatte. Als sie nach Hause durfte, musste sie wochenlang an Krücken gehen.

Mein Vater musste zwei Monate im Spital bleiben. Er hatte zwei schwerwiegende Beinbrüche, die nicht recht zusammenwachsen wollten. Somit musste er während 18 Monaten am ganzen Bein einen Gips tragen, welchen er alle sechs Wochen im Spital erneuern lassen musste. Nicht zu vergessen ist, dass meine Eltern einen Bauernhof am Laufen hatten mit Kühen, Schweinen, Milchwirtschaft, Heuen, Emden, dem Garten und vielem mehr.

Meine Grosseltern, die auch auf dem Bauernhof wohnten, mussten die volle Verantwortung für die Familie übernehmen. Wir Kinder waren den Grosseltern gegenüber nicht immer gehorsam. An eine Begebenheit erinnere ich mich noch sehr gut.

Wir hatten einen grossen Garten. Meine Grossmutter musste mich und meinen älteren Bruder wegen irgendetwas zurechtweisen. Leider weiss ich nicht mehr, worum es ging. Jedenfalls waren wir böse und frech zu ihr.

Sie wurde wütend und wollte meinem Bruder eine Ohrfeige austeilen. Weil er Angst bekam, rannte er weg, um den Garten herum, und meine Grossmutter rannte hinter ihm her. Paul war natürlich schneller. Die Grossmutter machte einen Fehltritt und stürzte ... Im Nachhinein tat es uns sehr leid, und wir haben uns bei ihr entschuldigt.

Mein Grossvater war ein guter und korrekter, aber strenger Mann. Beide Grosseltern waren treue Christen, die Jesus mit ihrem ganzen Sein nachfolgten. Sie gingen für viele Jahre jeden Sonntag zu Fuss in die Methodistenkirche in Fischenthal in den Gottesdienst. Auch die Eltern meines Vaters waren bibeltreue Christen. Seine Mutter war eine Beterin. Sein Vater ein bärtiger, bodenständiger, gottesfürchtiger Mann. Die Gebete der Grosseltern hatten einen positiven Einfluss auf unsere Familie.

Für die Landwirtschaft sprang ein lieber Verwandter meines Vaters ein. Er war ein junger Mann. Mit ihm hatten wir Kinder viel Spass. Er verbrachte seine freie Zeit meistens mit uns. Das hat uns gutgetan. Gott hat unsere ganze Familie siegreich durch diese Leidenszeit hindurch getragen. Preis sei dem Herrn.

Es war ein Wunder, dass meine Eltern überlebten. Gott hat sie am Leben erhalten. Ihr Gesundheitszustand war über längere Zeit kritisch. Während des Spitalaufenthalts träumte meine Mutter, dass sie wieder gehen könne und Wanderungen mit den Kindern auf die Oberegg und die Scheidegg unternehmen könne. Dieser Traum hat sich bewahrheitet. Nach einem langwierigen Heilungsprozess und der Erholungszeit konnte meine Mutter wieder sehr gut gehen. Das war ein grosses Wunder. Auch die Beinbrüche meines Vaters verheilten letztendlich gut.

Mein jüngster Bruder kam zur Welt, als meine Eltern wieder völlig vom Unfall hergestellt waren. Das Leben ging weiter, Neues war entstanden. Die Ankündigung meines jüngsten Bruders war eine riesige Freude. Es war für die Familie und insbesondere für meine Schwester und mich etwas ganz Besonderes und eine so schöne Erfahrung, einen kleinen Bruder zu umsorgen, mit ihm im Kinderwagen zu spazieren auch mit ihm spielen zu können.

In der ganzen Zeit hat sich das folgende Wort der Bibel in unserer Familie bewahrheitet. In allem Leid hat der allmächtige Gott über der Familie gewacht.

> *«Wer unter dem Schutz des Höchsten wohnt, der kann bei ihm, dem Allmächtigen, Ruhe finden. Auch ich sage zum HERRN: Du schenkst mir Zuflucht wie eine sichere Burg! Mein Gott, dir gehört mein ganzes Vertrauen! Er bewahrt dich vor versteckten Gefahren und hält jede tödliche Krankheit von dir fern. Wie ein Vogel seine Flügel über die Jungen ausbreitet, so wird er auch dich stets behüten und dir nahe sein. Seine Treue umgibt dich wie ein starker Schild. Du brauchst keine Angst zu haben vor den Gefahren der Nacht oder den heimtückischen Angriffen bei Tag. Selbst, wenn die Pest im Dunkeln zuschlägt und am hellen Tag das Fieber wütet, musst du dich doch nicht fürchten. Wenn tausend neben dir tot umfallen, ja, wenn zehntausend um dich herum sterben – dich selbst trifft es*

nicht! Mit eigenen Augen wirst du sehen, wie Gott es denen heimzahlt, die ihn missachten. Du aber darfst sagen: Beim HERRN bin ich geborgen! Ja, bei Gott, dem Höchsten, hast du Heimat gefunden. Darum wird dir nichts Böses zustossen, kein Unglück wird dein Haus erreichen. Denn Gott wird dir seine Engel schicken, um dich zu beschützen, wohin du auch gehst. Sie werden dich auf Händen tragen, und du wirst dich nicht einmal an einem Stein stossen! Löwen werden dir nichts anhaben, auf Schlangen trittst du ohne Gefahr. Gott sagt: Er liebt mich von ganzem Herzen, darum will ich ihn retten. Ich werde ihn schützen, weil er mich kennt und ehrt. Wenn er zu mir ruft, erhöre ich ihn. Wenn er keinen Ausweg mehr weiss, bin ich bei ihm. Ich will ihn befreien und zu Ehren bringen. Ich lasse ihn meine Rettung erfahren und gebe ihm ein langes und erfülltes Leben» (Psalm 91).

Das Harmonium

Ich war ein impulsives Kind. Oft passierte es bei Auseinandersetzungen, dass meine Emotionen relativ schnell in die Höhe sausten. Oft war ich sehr verärgert und mit meinen Geschwistern zerstritten. Konflikte austragen war nicht immer einfach.

Meine Eltern besassen ein Harmonium, auf dem mein Vater meistens am Sonntag christliche Choräle spielte. Es war mein Privileg, dass ich den Klavierunterricht besuchen durfte, so konnte ich zu Hause ebenfalls auf dem Harmonium christliche Lieder und andere Musikstücke spielen. Das war eine Leidenschaft von mir. Sehr oft geschah es, wenn ich mich geärgert hatte oder meine Geschwister mir auf die

Nerven gingen, dass ich mich ans Harmonium setzte, Lieder spielte und dazu gesungen habe. Auf diese Weise konnte ich mich jeweils beruhigen und wieder Frieden schliessen mit meinen Geschwistern, mit mir selbst und mit Gott.

Die Feldarbeit

Wir Kinder mussten jeweils im Sommer bei den Feldarbeiten mithelfen. Beim Heuen, Emden, Kuhmist-Verzetteln, Jäten im Garten, etc. Als Belohnung für die harte Arbeit bekam jedes Kind eine Flasche «Orangina» geschenkt.

Ausserdem unternahm mein Vater mit jedem Kind bei schönem Wetter an einem Sonntagnachmittag eine Motorradfahrt nach Wahl des Kindes. Daran erinnere ich mich noch sehr gut, und ich bin heute noch darauf stolz. Das war ein Fest, hinten auf dem Töff zu sitzen und vom Wind verweht durch die Gegend zu flitzen. Eine der Fahrten führte uns über den Kerenzerberg am Walensee. Auf der Passhöhe hielten wir an. Mein Vater nahm mich bei der Hand, und wir gingen Richtung Restaurant, wo wir zusammen ein Erdbeertörtchen schmausten. Unvergesslich schön, daran zurückzudenken!

Das Gleichnis

Während der Zeit, als mein Vater wegen des tragischen Unfalls nicht arbeitsfähig war, verbrachte er viel Zeit mit uns Kindern. Eines sonntags durfte ich zu ihm unter die Bettdecke kriechen und er hat mir das Gleichnis der klugen und der törichten Jungfrauen aus der Bibel erzählt:

«Dann wird es mit dem Reich der Himmel sein wie mit zehn Jungfrauen, die ihre Lampen nahmen und hinausgingen, dem Bräutigam entgegen. Fünf aber von ihnen waren töricht und fünf klug. Denn die Törichten nahmen ihre Lampen und nahmen kein Öl mit sich; die Klugen aber nahmen Öl in ihren Gefässen samt ihren Lampen. Als aber der Bräutigam auf sich warten liess, wurden sie alle schläfrig und schliefen ein. Um Mitternacht aber entstand ein Geschrei: Siehe, der Bräutigam! Geht hinaus, ihm entgegen! Da standen alle jene Jungfrauen auf und schmückten ihre Lampen. Die Törichten aber sprachen zu den Klugen: Gebt uns von eurem Öl! Denn unsere Lampen erlöschen. Die Klugen aber antworteten und sagten: Nein, damit es nicht etwa für uns und euch nicht ausreiche! Geht lieber hin zu den Verkäufern und kauft für euch selbst! Als sie aber hingingen, zu kaufen, kam der Bräutigam; und die bereit waren, gingen mit ihm hinein zur Hochzeit, und die Tür wurde verschlossen. Später aber kommen auch die übrigen Jungfrauen und sagen: Herr, Herr, öffne uns! Er aber antwortete und sprach: Wahrlich, ich sage euch, ich kenne euch nicht. So wacht nun! Denn ihr wisst weder den Tag noch die Stunde» (Matthäus 25,1-13).

Diese Botschaft ist in mein Herz eingedrungen und bewegt mich bis heute. Wir müssen unser Leben immer wieder überprüfen. Wo stehe ich? Arbeite ich mit dem Heiligen Geist zusammen? Ist mein Fokus nach wie vor auf Jesus und sein Wort ausgerichtet?

Lebt der Heilige Geist in mir? Lebe ich immer noch in der ersten Liebe zu Jesus?

Ich habe grossen Respekt und ich bin sehr dankbar über diese Lektion, die mir mein Vater vor vielen, vielen Jahren erteilt hat. Sie hat mein Leben verändert. Es ist bis heute mein Gebet: «Jesus, hilf mir, dass ich meine Lampe immer vorbereitet habe. Dass mein Öl nie ausgeht und ich extra Öl dabeihabe. Dass ich bereit bin, dir zu begegnen, wenn du erscheinst.»

Es ist ein Wort, das wir Menschen sehr ernst nehmen müssen. Es entscheidet, ob wir die Ewigkeit mit Jesus in der Herrlichkeit Gottes verbringen oder im Höllenfeuer.

Fünf der Jungfrauen hatten Öl in ihrer Lampe und nahmen zusätzliches Öl mit, während sie auf den Bräutigam warteten. Die anderen fünf Jungfrauen hatten auch Öl, aber keines auf Vorrat. Alle sind eingeschlafen und das Öl ging mittlerweile aus.

Lasst uns unsere Lampen vorbereiten und überprüfen, ob sie funktionieren, und kontrollieren, ob der Öltank dicht ist, damit das Öl nicht auslaufen kann. Lasst uns das Glas reinigen, damit das Licht im Dunkeln hell leuchtet. Wir wollen zusätzliches Öl in einem Gefäss mitnehmen, denn wir wissen nicht, wie lange es dauert, bis der Bräutigam kommt.

Seien wir allezeit bereit! Wir sollen wachen und beten.

Die törichten Jungfrauen machten sich auf zu den Krämern, um bei ihnen Öl zu kaufen. In der Zwischenzeit kam der Bräutigam (Jesus). Als sie dann zurückkamen, war die Türe verschlossen. Wir Christen müssen den Anweisungen der Propheten gehorchen, die Gott in unser Leben gesetzt hat.

Das Öl repräsentiert den Heiligen Geist, Jesus, Licht, Leben, Salbung, Frieden, Versöhnung, Gottesfurcht, Befreiung von Sünde, Erfüllung, Gemeinschaft, Freiheit, Wegweisung, Feiern, Freude, Herrlichkeit, Heiligkeit, Ewigkeit. Es umfasst grob gesagt alles, was unser geistliches Leben betrifft.

Mein Gebet ist, dass jeder, der diese Worte liest, ermutigt wird und sein Herz und seinen Geist darauf vorbereitet, sich mit der Schrift von Matthäus 25 zu verbinden.

Kapitel 2: Jugenderfahrungen

Als Teenager lief nicht immer alles so gut und schön, wie ich es mir erhoffte. Es gab viele Schattenseiten. In einer Familie mit fünf Kinder gibt es sehr oft Streit und sogar Unterdrückung oder Konkurrenzkämpfe. Nicht selten kam es vor, dass ich das Gefühl hatte, ich sei die grösste Versagerin, oder ich fühlte mich minderwertig und abgelehnt. So jedenfalls empfand ich es damals. Ich musste mir die Dinge hart erarbeiten.

Als ich 16 Jahre alt war - das war 1965 -, verbrachte ich ein Jahr in Genf in einer Familie als sogenanntes «Jeune fille». Die Familie hatte vier herzige Kinder im Schulalter, drei Mädchen und einen Jungen. Das half mir sehr, die französische Sprache schnell zu erlernen. Daneben konnte ich die Schule besuchen. Das machte Spass. Ich liebte Fremdsprachen sehr. In der Familie war immer etwas los. Die Kinder besuchten das Ballett, den Musikunterricht und die Gymnastik, wohin ich sie oft begleiten konnte.

Die Familie war ziemlich versnobt. Das war ich nicht gewohnt. An zwei Abenden pro Woche luden sie

Advokaten, Richter und Regierungsleute zum Essen ein. Meine Aufgabe war es, im Speisesaal den Tisch zu decken für ein Fünf-Gänge-Menü. Drei verschiedene Weingläser, Dessert, Buffet etc. Das Servieren des Essens gehörte zu meinem Part. Da war ich zuerst völlig überfordert, und es gefiel mir gar nicht, diese versnobten Gäste zu bedienen. An diesen Tagen fühlte ich mich jeweils schlecht und hätte mich am liebsten im Erdboden verkrochen. Trotzdem, je mehr Zeit verging, desto besser konnte ich mich damit abfinden und umgehen.

Obwohl die Madame und der Monsieur sehr gut zu mir waren, wurde ich jeden Tag von Heimweh geplagt. Täglich lief ich zur Telefonkabine und rief meine Eltern an, weil ich wieder nach Hause kommen wollte. Aber da hatte ich keine Chance. Sie blieben fest und beharrten darauf, dass ich das ganze Jahr durchhalten müsse. Lediglich an Weihnachten konnte ich für ein paar Tage nach Hause gehen.

Glücklicherweise wohnten mein Onkel und seine Frau in der Nähe, wo ich mich ausweinen konnte. Sie halfen mir, die schwierige Zeit zu überbrücken. Meine Freizeit konnte ich in der Stadtmission mit anderen «Jeunes filles» verbringen, und nahm an Freizeitprogrammen teil. Das lenkte mich ab und half mir durchzuhalten.

Im Nachhinein bin ich meinen Eltern dankbar für ihre Strenge. Das hat mich dazu bewogen, im Leben nicht so schnell aufzugeben und auch in schwierigen Zeiten und Situationen dranzubleiben und durchzuhalten.

Es gab eine Zeit, in der ich voll in der Welt mitmachte, bei allem, was nicht gut und schön war. Die

Melodie, die mein Leben spielte, war ziemlich eintönig. Zu dieser Zeit absolvierte ich eine Ausbildung als Kleinkindererzieherin und wohnte in Zürich am Ende des Niederdorfs. Dieses Quartier war zu der Zeit sehr verpönt. Oft verbrachte ich die Abende in Bars, um meine Unzufriedenheit, Minderwertigkeitsgefühle und Ablehnungsgefühle zu überspielen. Als Ersatz dafür suchte ich Zuwendung bei Männern, die ich auch bekam. Damals hatte ich kaum gute Freunde. Dann passiert es schnell, dass man auf Abwege gerät. Mein damaliger Pastor, der auch mein Mentor war, sagte jeweils, ich wäre sein Sorgenkind.

Leider kannte ich damals die Kraft des Heiligen Geistes nicht in dem Ausmass, wie ich es heute tue. Mein Leben war nicht im Wort Gottes verwurzelt. Aber über alledem hielt der Herr seine beschützende Hand über mir und hat mich bewahrt. Das Einzige, was meine Eltern für mich tun konnten, war beten. Doch in all den Verstrickungen war mir der Herr Jesus gnädig.

«Wenn euch also der Sohn befreit, dann seid ihr wirklich frei» (Johannes 8,36).

Diese Freiheit durfte ich danach erfahren. Gott kämpfte immer hart um mein Leben, und er war stets besorgt darum, dass er mich immer mit Menschen in Verbindung brachte, die mich auf Jesus hinwiesen. Mehrere Male gab ich mein Leben Jesus hin, zum Beispiel bei Grossevangelisationen vom Janz-Team. Leider schlitterte ich danach immer wieder ab und zurück in die Welt. Die Welt ist ein sehr starker Magnet. Der Feind setzt alles daran, dass wir nicht durchbrechen können zu Jesus und einem siegreichen Leben.

«Der in mir ist, ist stärker als der, der in der Welt ist» (1. Johannes 4,4).

«Es ist vollbracht» (Johannes 19,30).

Jesus hat den Feind besiegt.

«Wie viele ihn aber aufnahmen, denen gab er Macht, Gottes Kinder zu werden, denen, die an seinen Namen glauben» (Johannes 1,12).

«Denn wir haben nicht mit Fleisch und Blut zu kämpfen, sondern mit Mächtigen und Gewaltigen, mit den Herren der Welt, die über diese Finsternis herrschen, mit den bösen Geistern unter dem Himmel» (Epheser 6,12).

Kapitel 3: Spannende Zeiten

Schon in meiner frühen Jugendzeit zog es mich in die Ferne. Ich bin eine sehr weltoffene Person. Ich liebe es, Fremdsprachen und andere Kulturen kennenzulernen. Das liegt wohl in der Familie. Schon meine Grosseltern reisten in den 60er-Jahren nach Vancouver in Kanada, um dort ihren Sohn und seine Familie zu besuchen. Meine Eltern taten dasselbe.

Diese gute Tradition wiederholt sich von Generation zu Generation. Kanada wurde zu meiner zweiten Heimat. Ich hatte das Privileg, mehrere Male das wunderschöne, grosszügige Land zu besuchen und zu bereisen.

Mein erster Auslandsaufenthalt war kurz vor meinem zwanzigsten Lebensjahr, wo ich einen Abstecher nach England wagte. Dort durfte ich die englische Sprache erlernen. Mein Weg dorthin führte mich zu einem christlich geführten Internat. Die Clarendon School in Abergele liegt in Wales, in der Nähe von Liverpool. Das Internat wurde im Jahr 1898 in North Malvern in Worcestershire von zwei Schwestern gegründet. Sie starteten das Internat mit zwölf Kinder im Alter von sechs bis sechzehn Jahren.

Als ich 1969 im Internat diente, lebten dort 200 Missionarskinder und Kinder von königlichen Hoheiten aus dem Ausland, die ihren Schulalltag dort verbrachten. Mein Tätigkeitsbereich war insbesondere die Verpflegung, Reinigung und das Bedienen der «Head Mistress». Es war eine grosse Ehre und gleichzeitig aufregend für mich, im nahen Kontakt mit der Gesamtleiterin der Schule zu stehen. Sie wurde zu meinem Vorbild. Sie war eine liebenswürdige, umsorgende und gleichzeitig demütige Persönlichkeit. Bei den Schülerinnen selbst hatte ich keine Betreuungsaufgaben zu übernehmen. Ich konnte mich mit ihnen in der Freizeit unterhalten. Ansonsten waren die eingesetzten Erzieherinnen und Erzieher für sie zuständig.

Meine Freizeit verbrachte ich vorwiegend mit den anderen «Au pair Girls». Während dieser Zeit wurde mein Charakter geschliffen. Beim Zusammenleben inmitten dieses «Zickenkrieges» gab es oft unangenehme Situationen auszutragen. Man stelle sich vor: Die Mädchen kamen aus allen Ländern der Welt, um dort einen diakonischen Einsatz zu erbringen, so wie ich es tat.

Überall, wo mich Gott hinstellte, durfte ich reifen und mich positiv weiterentwickeln. Selbst dann, als ich Gott ungehorsam war. Er hörte nie auf, mich zu lieben.

Ein Highlight für mich war das Orgelspielen. Eines meiner Lieblingslieder, das ich auf der grossen, himmlisch tönenden Orgel spielen durfte, war: «What a Friend we have in Jesus» (Welch ein Freund ist unser Jesus), aber auch viele andere. Wie schon im vorherigen Kapitel erwähnt, gab mir das Harmoniumspielen einen echten Ausgleich, meine Emotionen ins Gleichgewicht zu bringen. So hatte ich auch da die Möglichkeit, auf der Orgel, einem gewaltigen und eindrücklichen Instrument, Gottes Gegenwart auf herrliche Art und Weise zu erleben. Die Bibel sagt: *«Du bist doch der heilige Gott! Du wohnst im Lobpreis deines Volkes» (Psalm 22,4).*

Diese sieben Monate waren für mich eine segensreiche und lebensverändernde Zeit. Sie gaben mir Einblick in viele verschieden Kulturen. Der Umgang mit hochstehenden Persönlichkeiten formte mich positiv und bereicherte mein Leben sehr. Dies entwickelte in mir einen Respekt und eine Wertschätzung den Mitmenschen gegenüber, egal welche Position sie in der Gesellschaft haben. Der Umgang mit Kindern und vielen Mitarbeitern veränderte mein Leben tiefgreifend. Es war ein Trainingsbereich, den ich niemals missen möchte.

Dass ich in jungen Jahren die englische Sprache erlernen konnte, hat mir sehr geholfen in meinem ganzen Leben. Heutzutage, mit 70 Jahren, spreche ich besser Englisch als je zuvor. Es gibt sogar Situationen hier in der Schweiz, wo ich mit anderen Menschen Englisch spreche, weil dies die Sprache ist, in der wir mit den meisten Menschen kommunizieren können.

Neuanfang in der Schweiz

«Darum: Ist jemand in Christus, so ist er eine neue Kreatur; das Alte ist vergangen, siehe, Neues ist geworden» (2. Korinther 5,17).

Dieses Wort durfte ich buchstäblich erleben. Von da an kehrte Ruhe und Frieden in mein Leben ein. Die Melodie meines Lebens spielte die hohen beschwingten Töne. Beruflich wie auch im privaten Bereich ging es aufwärts. Ich erlebte viel Gnade und Gunst von Gott. Die Zeiten der Leere nahmen immer weiter ab. Mein Leben fing an, Sinn zu machen.

Meine Überlegung war nun folgende: Wie kann ich dem Reich Gottes mehr Wert hinzufügen?

Zu meiner Zeit war es einfach, die Berufsbranche zu wechseln ohne Weiterbildung oder Zweitausbildung. Davon konnte ich sehr profitieren. Wie schon erwähnt, hatte ich Kleinkindererzieherin gelernt. So führte mich Gott in ein Dorf, wo ich in der Hauspflege arbeiten konnte. Heute würde man es Spitex nennen. Die neue Aufgabe erfüllte mich mit Zufriedenheit und gab meinem Leben eine neue Perspektive, geprägt von Dankbarkeit. In dieser Zeit konnte ich mir zum ersten Mal eine eigene Mietwohnung leisten und genoss es sehr, in den eigenen vier Wände zu wohnen.

Ich liebte es, anderen Menschen zu dienen und für sie da zu sein, wenn sie Hilfe nötig hatten. Vor allem Familien mit Kindern. Die abwechslungsreichen Aufgaben wie Haushalten, Waschen, Reinigen und Kinderbetreuung waren meine Leidenschaft.

«Und dienet einander, ein jeder mit der Gabe, die er empfangen hat, als die guten Haushalter der mancherlei Gnade Gottes: Wenn jemand redet, rede er's als Gottes Wort; wenn jemand dient, tue er's aus der Kraft, die Gott gewährt, damit in allen Dingen Gott gepriesen werde durch Jesus Christus. Ihm sei Ehre und Macht von Ewigkeit zu Ewigkeit! Amen» (1. Petrus 4,10).

«Die Frucht aber des Geistes ist Liebe, Freude, Friede, Geduld, Freundlichkeit, Güte, Treue, Sanftmut, Enthaltsamkeit; gegen all dies steht kein Gesetz» (Galater 5,22).

Gott zu dienen macht wirklich Spass, wenn man weiss, dass es sein Auftrag ist und man sich zugleich in seinem göttlichen Zeitplan befindet. Damit ich am Ball bleiben kann, brauche ich immer wieder neue Herausforderungen. Das hat sich bis heute nicht geändert. Das ist wahrscheinlich auch der Grund, warum ich mit 70 Jahren noch so fit und in meinem Geist jung geblieben bin: weil ich mich immer wieder in Neues involviere.

Jedenfalls entschied ich mich, parallel zur Arbeit eine einjährige Handelsschule zu absolvieren, um meinen Horizont zu erweitern. Die Schule war erfolgreich und ich konnte mir kaufmännisches Wissen aneignen.

Ein wunderbares, von Gott geführtes Ereignis geschah an einem Samstag nach dem Unterricht. Ein Mitschüler fragte mich, ob wir zusammen mit dem Zug nach Hause fahren könnten, da wir beide in die gleiche Richtung mussten. Von meiner Seite aus gab es nichts einzuwenden, obwohl wir uns nicht kannten und wir uns nie zuvor unterhalten hatten. Auf dem Weg erzählte er mir von seiner beruflichen Laufbahn, und ich folgte ihm mit grosser Aufmerksamkeit. Er erzählte, er habe soeben eine Ausbildung zum Heimleiter abgeschlossen und als Ergänzung die Handelsschule, die wir zusammen absolvierten. Weiter berichtete er, dass er demnächst in Männedorf ein Altersheim mit 70 Pensionären und 30 Mitarbeitern neu eröffnen und übernehmen werde. Er fuhr weiter, dass er unter anderem auf der Suche nach einer Köchin wäre. Dann zögerte er einen Moment und atmete tief ein, bevor er Folgendes sagte: Gott habe ihm gezeigt, dass ich die richtige Person wäre, die das Amt als Köchin übernehmen sollte. Punkt. Ende der Diskussion.

Ich war so platt und sprachlos über diese Neuigkeit, dass ich ihm im Moment weder etwas erwidern noch ihm ausweichen konnte, wir sassen ja zusammen im Zug. Ich hätte höchstens bei der nächsten Station vorzeitig aus dem Zug aussteigen können, um vor ihm zu fliehen. Mit der Zeit konnte ich mich beruhigen und antwortete ihm, ich würde es mir überlegen. Das war definitiv eine göttliche Begegnung.

Das Beste an der Sache war, wir wussten nicht, dass wir beide wiedergeborene Christen waren. Halleluja.

> *«Auch das kommt her vom HERRN Zebaoth; sein Rat ist wunderbar, und er führt es herrlich hinaus» (Jesaja 28,29).*

Schon während des Gesprächs empfand ich Ruhe und tiefen Frieden. Bald darauf begann ich, dort zu arbeiten und wurde als hauptverantwortliche Köchin eingesetzt. Ich war verantwortlich für den Einkauf und die Verwaltung des Inventars. Es erforderte eine gute Kalkulation, um das monatliche Budget nicht zu überschreiten.

Vier Küchenmitarbeiter wurden mir zur Unterstützung zugeteilt, die ich anleiten durfte. Das war deutlich mehr, als lediglich ins kalte Wasser geworfen zu werden. Eine Flut an Neuem kam auf mich zu. Und mitten in alldem hatte ich Spass. Ich erinnere mich noch gut an das erste Menü, welches wir zubereiteten. Es war ein Geschnetzeltes nach Zürcher Art, garniert mit einem halben Pfirsich, einem Tupfen Schlagrahm, Nudeln und Salat. Der Rahm war wirklich im wahrsten Sinn des Wortes das Tüpfchen auf dem i.

Das Beste daran war: Die Pensionäre und die Angestellten rühmten das Essen. Bingo! Das war ja noch mal gut gegangen. Kochen für 100 Personen auf einen Schlag. Wow, das war ein Riesenerfolg, gewürzt mit einer Portion Mut und Kühnheit.

Wohlverstanden: Ich hatte keine Vorkenntnisse, ich hatte noch nie in einer Grossküche gearbeitet. Ich war völlig auf die Gnade und die Hilfe des Herrn angewiesen. Und er hat sich mächtig gezeigt.

Mit der Zeit begann ich zu verstehen, wie die Kraft Gottes sich in einem Menschen beginnt zu manifestieren, wenn es Teil seines göttlichen Plans ist.

Das Wort Gottes sagt:

«Wenn es aber jemandem unter euch an Weisheit mangelt, so bitte er Gott, der jedermann gern und ohne Vorwurf gibt; so wird sie ihm gegeben werden» (Jakobus 1,5).

«Es geschieht nicht durch Heer oder Kraft, sondern durch meinen Geist» (Sacharja 4,6).

Wie ich zu dieser Arbeitsstelle kam und der Erfolg, den mir Gott schenkte, war das übernatürliche Wirken des Heiligen Geistes. Genauso, wie es der Vers in Sacharja aussagt. Halleluja, Amen!

Es begeistert mich, darüber nachzudenken, wie Gott mein Leben führte. Eine so grosse Dankbarkeit steigt in mir empor. In meinem Glaubensleben konnte ich immer mehr wachsen. Ich lernte immer mehr zu verstehen: *«Ich muss abnehmen und Christus in mir zunehmen» (Johannes 3,30).*

Damit dies geschehen kann, ist das Verlangen zu einer tiefen und starken Beziehung nötig, die auf der Liebe basiert, auf viel Nähe und Vertrauen zu Gott und seinem Wort. Es ist der Heilige Geist, der die Menschen zieht. Mein Teil ist es, ja dazu zu sagen.

Ausserdem lernte ich noch, mein Leben dem Herrn zu weihen und mich zu heiligen, damit er mich mehr und mehr in sein Bild verändern konnte.

«Weil ihr Gottes reiche Barmherzigkeit erfahren habt, fordere ich euch auf, liebe Brüder und Schwestern, euch mit eurem ganzen Leben Gott zur Verfügung zu stellen. Seid ein lebendiges Opfer, das Gott dargebracht wird und ihm gefällt. Ihm auf diese Weise zu dienen ist der wahre Gottesdienst und die angemessene Antwort auf seine Liebe. Passt euch nicht den Massstäben dieser Welt an, sondern lasst euch von Gott verändern, damit euer ganzes Denken neu ausgerichtet wird. Nur dann könnt ihr beurteilen, was Gottes Wille ist, was gut und vollkommen ist und was ihm gefällt» (Römer 12,1-2).

«So tötet nun die Glieder, die auf Erden sind, Unzucht, Unreinheit, schändliche Leidenschaft, böse Begierde und die Habsucht, die Götzendienst ist» (Kolosser 3,5).

Das Leben ist eine Schule von A bis Z. Wenn wir an den Punkt kommen, wo wir sagen: «Ich habe genug gelernt.», begeben wir uns in eine Abwärtsspirale und unser Leben fängt an zu stagnieren. Der Geist, die Seele und der natürliche Mensch müssen in Übereinstimmung und in ein ausbalanciertes Gleichgewicht kommen. Deshalb müssen wir ständig dranbleiben.

Im Geist gehen wir von Herrlichkeit zu Herrlichkeit oder wenn wir es lieber so ausdrücken möchten: von einer Treppenstufe auf die nächste. Die Entwicklung unseres Lebens hört nie auf. Sie geht weiter bis zum letzten Atemzug.

In Afrika

Wie schon erwähnt, bin ich eine sehr weltoffene Person. Etwas, von dem ich immer geschwärmt habe, ist das Reisen, zum Beispiel nach Afrika. Als ich 27 Jahre alt war, im Jahr 1976, hatte ich die Möglichkeit, für mehrere Wochen nach Kamerun zu reisen.

Wohlverstanden: nicht als Touristin. Wir waren nur zu zweit. Die Person, mit der ich reisen durfte, kannte die Einheimischen in- und auswendig. Er besuchte das Land jährlich seit bereits 15 Jahren. Er hatte eine wunderbare Frau und sechs Kinder. Ansonsten wäre er längst ausgewandert.

So lebten wir dort mitten unter dem Volk. Es war eine positive Erfahrung, die einheimischen Menschen und ihre Andersartigkeit kennenzulernen. Zu der Zeit war die Zivilisation auf einem anderen Niveau als heute.

Unser Nachtquartier war in einer heruntergekommenen Hütte. Wir lagen auf dem Boden mit unserem mitgebrachten Schlafsack. Wir mussten damit rechnen, dass Viecher über unseren Kopf krochen, und die Hühner liefen frei umher. Wenn es zu essen gab, sassen wir alle am Boden in einem Kreis. In der Mitte war ein grosser Topf, und jeder griff mit seinen Fingern ins Essen. Es gab kein Desinfektionsmittel und kein Zuvor-Händewaschen wie in Zeiten von Corona. Ich hatte allerdings Desinfektionsmittel bei mir, welches ich anwendete, wenn es niemand sah.

Wir gingen jeden Tag auf den Markt. Das erste Mal fragte mich mein Begleiter, ob ich gerne eine Ovomaltine trinken möchte. Ich erwiderte: «Gibt's denn hier so etwas?» Stolz meinte er: «Ja, sicher.» Okay. Wir gingen zu dem Stand, wo die Ovomaltine verkauft wurde. Die Beutel waren dieselben wie die, die wir hierzulande haben. Das war schon mal gut. Ich wartete auf die Milch. Die Person leerte eine undefinierbare Flüssigkeit in den Becher und vermischte sie mit der Ovo. Ich begann zu trinken. Ich musste mich direkt übergeben, weil mein Magen dieses Getränk nicht ertragen konnte ... Mein Begleiter schimpfte mit mir. So etwas dürfe ich nicht noch einmal machen, nie wieder! Es wäre eine grosse Beleidigung für die Person, die mir das Getränk eingeschenkt hatte. Es tat mir natürlich leid. Aber ich konnte nichts dagegen tun. In Zukunft zog ich es vor, am Morgen nüchtern Palmwein zu trinken, der kam direkt vom Baum ins Gefäss. Der schmeckte mir und tötete gleichzeitig die Bakterien ab.

Die Menschen waren so gut, und boten mir schwarzes Bier an. (Ich bin absolut kein Fan von alkoholischen Getränken.) Beim Essen musste ich mich jedes Mal überwinden und zusammenreissen und so tun, als wäre alles super. So ist es, wenn man gerne andere Kulturen kennenlernen möchte. Andere Länder, andere Sitten. Heutzutage hat sich das natürlich geändert. Es sind in der Zwischenzeit immerhin mehr als vierzig Jahre vergangen.

Diese Reise war eine der beeindrucktesten, die ich je unternahm. Oftmals war ich beschämt, wenn ich sah, wie liebenswürdig und zuvorkommend die Menschen waren. Sie würden ihr letztes Hemd geben, wenn sie damit jemandem helfen könnten.

In Israel

Israel war schon immer eine Destination, die ich gerne bereisen wollte. Die Reise dorthin hatte grossen Einfluss auf mein Leben. Wir reisten mit einer christlichen Organisation. Die Reiseleitung erklärte alle Stationen anhand der Bibel. Dadurch bekam ich ein viel besseres Verständnis der Bibel. Das hat mich begeistert, und es war sehr beeindruckend.

Da war zum Beispiel die Via Doloroso, wo Jesus den Leidensweg gehen und sein Kreuz tragen musste. Der Hügel Golgatha, wo Jesus gekreuzigt wurde. Die Gruft, wo Jesu Leichnam hingelegt wurde. All das mit eigenen Augen zu sehen, ging mir sehr tief. Genauso die Stationen wie den See Genezareth, die Wüste En Gedi, die Klagemauer, den Tempelberg, den Berg Zion, auf dem Jesus bei seinem zweiten Kommen erscheinen wird, und vieles mehr.

«Fürwahr, er trug unsre Krankheit und lud auf sich unsre Schmerzen. Wir aber hielten ihn für den, der geplagt und

von Gott geschlagen und gemartert wäre. Aber er ist um unsre Missetat willen verwundet und um unsre Sünde willen zerschlagen. Die Strafe liegt auf ihm, auf dass wir Frieden hätten, und durch seine Wunden sind wir geheilt» (Jesaja 53,4-5).

In der Südschweiz

Eine weitere wichtige Station, die mein Leben stark geprägt hat, war mein Engagement in der Casa Moscia, einer Institution der VBG, der «Vereinigten Bibelgruppen», in Ascona. Dort machte ich einen Sommer lang einen diakonischen Einsatz.

Die Casa Moscia liegt in wunderschöner Lage am Lago Maggiore unweit von Ascona. Die Vereinigten Bibelgruppen entstanden in den Vierziger- und Fünfzigerjahren des letzten Jahrhunderts als Ableger der Studentenbibelgruppen an den Universitäten. Es wurden vor allem christliche Seminare durchgeführt. Der Ort ist eine ausgezeichnete Destination für Ferien sowohl für Gruppen, Familien als auch für Einzelgäste.

Diese Zeit prägte mich positiv, insbesondere durch das Zusammenleben in einer sogenannten «Zweierschaft». Dies wurde sehr grossgeschrieben während dem Einsatz. Was will ich damit sagen? Jeder Person, die einen solchen Einsatz in der Casa Moscia wahrnehmen wollte, wurde nahegelegt, verbindlich an der Hausgemeinschaft teilzunehmen, welche aus ca. 30 Personen bestand. Mit meiner Zimmerkollegin verstand ich mich gar nicht gut. Ich fragte mich, wie wir das acht Monate lang miteinander aushalten sollten.

Unsere Charaktere waren zu unterschiedlich. Die Zimmer waren nur mit dem Allernötigsten ausgestattet: Bett, Schrank, Kommode. Es gab keinen Raum für Privatsphäre. Die Toiletten und Duschen waren für alle gemeinsam auf dem Korridor.

Als ich die Konflikte nicht mehr aushielt, suchte ich schliesslich das Gespräch mit Hans Corrodi. Er war damals der Leiter der Casa Moscia. Er meinte: «Lass uns einen kleinen Spaziergang machen.» Während wir liefen, konnte ich aus meinem Ventil etwas Luft ablassen. Wir setzten uns auf ein Geländer am Strassenrand. Ich erinnere mich sehr genau an das, was er mir sagte, weil es mein Herz und meine Seele wie ein Pfeil durchbohrte. «Rosemary, wenn du dich nicht mit deiner Zimmerkollegin aussprechen und einen vernünftigen Dialog mit ihr führen kannst, wenn ihr die Probleme, die ihr habt, nicht gemeinsam lösen könnt» - jetzt kommt der Punkt - «dann wirst du nie fähig sein, eine Ehe einzugehen.» Paff! Das war ein Schlag ins Gesicht und traf den Nagel auf den Kopf.

Nichts wünschte ich mir sehnlicher, als einmal heiraten zu dürfen. Wie die Geschichte weiterging, darf sich jeder selbst ausmalen. Das war mir eine Lektion fürs Leben. *«Zwei sind besser dran als ein Einzelner» (Prediger 4,9).* Gott führt immer die richtigen Personen zusammen, damit man sich gegenseitig die Ecken und Kanten schleifen kann. Zu Beginn hat jeder Stein viele Kanten und Ecken, er ist schmutzig und unschön, sieht trüb aus. Man kann sich daran stossen, weil er holprig ist, und man kann sich an den Spitzen und der Rauheit des Steines Verletzungen zuziehen. Wie der Ton es zulässt, sich vom Töpfer zu einem wunderbaren Gefäss formen zu lassen, so sollen auch wir uns formen lassen. In Jesaja 64,7 lesen wir: *«Du bist der Töpfer, wir sind der Ton, unsere Leben sind Gefässe aus deiner Hand kreiert.»*

Übertragen wir das ins Geistliche, so bedeutet es, dass unser Charakter erneuert werden muss. Das geschieht, indem wir unsere Sünden vor Jesus bekennen, darüber Busse tun und ihn um Vergebung bitten. Die Sünde ist, dass wir uns von Jesus abwenden, sprich ohne ihn durchs Leben gehen wollen. Also müssen wir Jesus in unser Leben einladen. Wir begeben uns in einen Prozess der Veränderung. Erst dann bekommt mein Leben Sinn. Unser Gebet sollte immer sein: «Herr, dein Wille geschehe.»

> *«Er selbst aber, der Gott des Friedens, heilige euch völlig; und euer ganzer Geist und Seele und Leib werde untadelig bewahrt bei der Ankunft unseres Herrn Jesus Christus. Treu ist er, der euch ruft; er wird es auch tun» (1. Thessalonicher 5,23-24).*

Für mich war dies definitiv der Weg der Heiligung, den ich gehen musste.

Unser ganzes Wesen und unser ganzes Sein müssen wir ans Kreuz von Golgatha nageln. Mit Christus begraben zu sein und aufzuerstehen, gibt uns Leben in Ewigkeit. Das Kreuz auf sich zu nehmen, ist ein Prozess, der unser ganzes Leben lang andauert. Wir müssen uns fortlaufend erneuern lassen durch das Wort Gottes und die Ermahnung des Heiligen Geistes.

> *«Da sprach er zu allen: Wer mir folgen will, der verleugne sich selbst und nehme sein Kreuz auf sich täglich und*

folge mir nach. Denn wer sein Leben erhalten will, der wird es verlieren; wer aber sein Leben verliert um meinetwillen, der wird's erhalten. Denn welchen Nutzen hätte der Mensch, wenn er die ganze Welt gewönne und verlöre sich selbst oder nähme Schaden an sich selbst?» (Lukas 9,23-25).

«Und so hat Christus denn auch seine Gemeinde beschenkt: Er hat ihr die Apostel gegeben, die Propheten und Verkündiger der rettenden Botschaft, genauso wie die Hirten und Lehrer, welche die Gemeinde leiten und im Glauben unterweisen. Sie alle sollen die Christen für ihren Dienst ausrüsten, damit die Gemeinde, der Leib von Christus, aufgebaut und vollendet wird. Dadurch werden wir im Glauben immer mehr eins werden und miteinander den Sohn Gottes immer besser kennen lernen. Wir sollen zu mündigen Christen heranreifen, zu einer Gemeinde, die ihn in seiner ganzen Fülle widerspiegelt. Dann sind wir nicht länger wie unmündige Kinder, die sich von jeder beliebigen Lehrmeinung aus der Bahn werfen lassen und die leicht auf geschickte Täuschungsmanöver hinterlistiger Menschen hereinfallen. Stattdessen wollen wir die Wahrheit in Liebe leben und in allem zu Christus hinwachsen, dem Haupt der Gemeinde. Durch ihn ist der Leib fest zusammengefügt, denn er verbindet die Körperteile durch die verschiedenen Gelenke miteinander. Jeder einzelne Teil leistet seinen Beitrag. So wächst der Leib und wird aufgebaut durch die Liebe (Epheser 4,11-16).

Meine Zeit in Moscia war für mich eine Vorbereitungszeit auf meine Ehe, auf die ich dann im nächsten Kapitel näher eingehen werde. Alles, was wir im Leben erreichen, dient immer dazu, uns zu entwickeln und eine Stufe höher zu gehen. Generell ist es so im Leben, dass alles, was wir gerade tun – sei es beruflich oder geistlich – immer als Vorbereitung für das dient, was wir danach tun werden. Konkret gesagt: Es bringt uns weiter im geistlichen sowie im natürlichen Leben. Die Bedingung dafür ist: Wir müssen gewillt sein, uns in einen Prozess der Veränderung hineinzugeben.

«Es ist unsere persönliche Entscheidung, ob wir den Weg der Heiligung gehen möchten oder nicht» (1. Petrus 2,15).

«Denn das Reich Gottes kommt nicht zu uns in äusserlicher Erscheinung, sondern es ist inwendig in uns» (Lukas 17,21).

Wenn wir uns jedoch auf dieses Abenteuer mit Jesus einlassen, werden wir seine Gegenwart, seine Herrlichkeit und seine Zeichen und Wunder erleben. Genauso verhält es sich mit beruflichen Fortschritten.

Der Herr führte mich in eine höhere Position als stellvertretende Heimleitung im Altersheim in Fischenthal im Zürcher Oberland, wo ca. 30 betagte Menschen ihren Lebensabend verbringen durften. Das Dorf zählte ungefähr 1'600 Einwohner und war in einer ruhigen Region auf dem Land gelegen.

Mein Aufgabenbereich setzte sich zusammen aus der Leitung der Küche, der gesamten Verpflegung, dem Einkauf und vielem anderen. Die Tischgemeinschaft und das gemeinsame Essen waren jeweils ein Highlight für die Pensionäre. Da vernahm man viel von ihren Leben. Oft musste ich staunen, was diese

Menschen in ihren Leben geleistet hatten. Viele von ihnen waren eine Inspiration für mich.

Ich durfte bei ihrer Abwesenheit auch die Gesamtleiterin vertreten. So konnte ich mir einen Einblick verschaffen in die Leitung einer Institution. Das half mir enorm für die Aufgaben, die ich später annahm.

Wenn wir mit Gott unterwegs sind, ist unser Leben zum Erfolg vorprogrammiert. Ich liebte es, mit älteren Menschen zu arbeiten, sie zu unterstützen und wertzuschätzen, im Heim zu dienen und mich voll in diese Berufung hineinzugeben.

Während dieser Zeit geschah noch etwas für mich Weltbewegendes: Ich durfte die Liebe meines Lebens kennenlernen. Zu unserer Hochzeit organisierten die Mitarbeiter des Altersheims zusammen mit den Pensionären einen Riesen-Apéro im Freien für die ganze Hochzeitsgesellschaft von über 80 Personen. Das war ein unglaubliches Highlight.

Kapitel 4: Vom Alleingang zur Gemeinsamkeit

Eine der ersten Frage, die einem frisch verliebten Paar gestellt wird, ist meistens: «Wo habt ihr euch denn kennengelernt?» Diese Frage haben wir nicht allzu schnell beantwortet. Die Art und Weise, wie Gott uns zusammengeführt hat, ist schon etwas ungewöhnlich für die damalige Zeit. So waren wir sehr vorsichtig, wem wir das Geheimnis anvertrauten, um uns selbst zu schützen.

Für uns war es eine der aussergewöhnlichsten aufregendsten Begegnungen, die wir in unserem Leben erfahren durften. Inzwischen haben wir der Welt bewiesen, dass unsere Ehe 41 Jahre lang gehalten hat und wir glücklicher sind als je zuvor. Unsere Liebe zueinander hat sich immer noch vertieft.

Mit zunehmendem Alter wurde der Wunsch zu heiraten immer grösser in mir. Im zweiten Kapitel erzählte ich von meiner Reise nach Kamerun. Genau diese Person, mit der ich diese Abenteuerreise unternahm, hat mir geholfen, meine Hemmungen zu überwinden und etwas zu tun, das nicht jedermann oder jedefrau tut. Er war ein herzensguter Mensch. Ich erlebte ihn als liebenden Vater, dem ich mein Leben anvertrauen konnte. Er gab mir einige Tipps und empfahl mir Schritte, die mir helfen könnten, meinem Traummann zu begegnen. Es waren zum Teil rein persönliche Verhaltenstipps. Der praktische Schritt, den ich unternahm, war folgender: Damals erschien eine Zeitschrift, die hiess «Leben und Glauben». Ich hatte sie abonniert, aber nie wirklich darin gelesen.

Mein Bekannter forderte mich auf, diese von jetzt an genauer anzuschauen. Nun begann ich, wöchentlich darin zu stöbern, und genauer hinzuschauen. Da gab es nämlich eine Rubrik mit «Heiratsanzeigen». Eines Tages fielen meine Augen auf ein Inserat, welches mich nicht mehr loslassen wollte. Mein Herz begann zu hüpfen. Folgendes hatte ich gelesen: «Möchtest du auch nicht mehr alleine durchs Leben gehen? Junger Postbeamte sucht dich auf diesem Wege. Schreibe mir, dass wir uns kennenlernen können.» Jeder weiss, wie die Geschichte weiterging!

Zitronengelbes Briefpapier

Ich kontaktierte meinen Bekannten Fritz und erzählte ihm von diesem Inserat. Seine Frage kam wie aus dem Rohr geschossen: «Hast du ihm schon geschrieben? Worauf wartest du noch?» Natürlich hatte ich ihm noch nicht geschrieben. Mein nächster Schritt war, zur Papeterie zu gehen und schön leuchtendes, zitronengelb meliertes Schreibpapier zu kaufen, um auf das Inserat hin zu antworten. Ab die Post – so schnell wie möglich. Ich war wirklich sehr aufgeregt, diesen Mann kennenzulernen. Anhand des Fotos, das er mir sandte, war mein erster Eindruck: nicht schlecht. Dennoch war ich auch skeptisch, was für ein Typ er wohl wäre. Ich fragte mich: Wie sieht er wohl in echt aus? Was hat er an? Wie begegnet er mir? Welches sind seine ersten Worte? Jedenfalls begrüsste er mich mit «Grüessech, Fräulein Stamm» (mein Mädchenname).

Ich muss sagen, meine Erwartungen wurden ganz klar übertroffen. Seine Erscheinung hatte mich angesprochen. Ich freute mich auf den ersten gemeinsamen Tag. Peter hatte mir verraten, dass er das GA gekauft habe, weil sich zwölf Frauen auf das Inserat gemeldet hätten, und er beabsichtigte, jede Frau zu besuchen. Er wollte jeder Frau die Chance geben, ihn kennenzulernen. Ich war die erste Frau, die er traf. Es war der 9. September 1978.

In früheren Jahren hatte ich viele Enttäuschungen mit Männern erlebt und ihnen gegenüber Misstrauen entwickelt. Bevor wir uns das erste Mal trafen, hatte Peter von Gott die innere Überzeugung erhalten, dass ich seine Frau werden würde. Das ging also schon schnell. Er hatte den sechsten Gang eingelegt.

Es fiel mir schwer zu glauben, dass es einen Mann auf diesem Planeten geben sollte, der eine ernsthafte Beziehung zu mir aufbauen wollte. Mal schauen ... So brauchte ich Zeit, mich damit vertraut zu machen, dass es einen Menschen gibt, für den ich wertvoll bin.

Wir verbrachten einen sehr schönen Tag am Rheinfall in Neuhausen. Wir gingen zusammen fein essen im Restaurant, haben geplaudert und uns kennengelernt. Danach fuhren wir mit dem Schiff zum Rheinfallbecken und bestiegen den Rheinfallfelsen. Das war purer Spass und sehr aufregend. Bevor Peter wieder nach Bern zurückfuhr, hatten wir noch einen wunderschönen Abend in einem gediegenen Restaurant bei einem grillierten Rindssteak auf Holzplatte serviert, einem Glas Rotwein und Kerzenlicht. Als wir uns am Abend verabschiedeten, sagte Peter: «Ich werde dich nächste Woche anrufen und dir einen Brief schreiben und am Samstag darauf werde ich dich wieder besuchen kommen.» Ich dachte mir: «Ja, ja, das sind schöne Worte, die sich so schnell wieder in Luft auflösen werden, wie sie ausgesprochen wurden. Das wird's dann wohl auch schon wieder gewesen sein.»

Bald merkte ich, dass bei mir einige Dinge ins richtige Licht gerückt werden sollten und ich mich von den vorhergehenden Beziehungen seelisch lösen musste, um den Mann empfangen zu können, der voller Leidenschaft um mich warb. In der folgenden Woche traf dann alles so ein wie er es angekündigt hatte. Das löste in mir neues Vertrauen aus und ich wusste: Auf diesen Mann kann ich zählen.

Es ging nicht lange und wir entschlossen uns, mit Gottes Hilfe in eine ernsthafte Beziehung zu treten. Ich hatte tatsächlich die Liebe meines Lebens kennengelernt. Der Himmel war auf die Erde gekommen. Ein neues, aufregendes Leben hat begonnen.

«Und Gott der HERR sprach: Es ist nicht gut, dass der Mensch allein sei; ich will ihm eine Hilfe senden, die ihm entspricht» (1. Mose 2,18).

«Des Herrn Rat ist wunderbar und er führt es herrlich hinaus» (Jeremia 28,29).

Zeit des Kennenlernens

Es begann eine wunderbare Zeit der Zweierschaft und eine Zeit des Kennenlernens. Die allergrösste und kostbarste Gemeinsamkeit, die wir hatten, ist meines Erachtens die allerwichtigste und grundlegendste für eine Ehe.

Mein damaliger Freund Peter lebte im Glauben an Jesus Christus, und wir konnten zusammen das Fundament für eine solide Ehe legen. Als Paar gemeinsam den Weg mit Jesus zu gehen, ist die grösste Liebesgabe, die Gott zwei Menschen schenken kann. Es ist die Liebe von Jesus, die niemals versagt, was auch immer im Leben kommen mag.

Plötzlich ging dann alles so schnell. Die Liebe zueinander wurde von Tag zu Tag stärker und intensiver. Wir standen beide kurz vor dem dreissigsten Lebensjahr. Also wussten wir bald, dass wir heiraten und nicht Monate und Jahre verstreichen lassen würden, um in den Ehebund zu treten. Heute, wenn ich dieses Buch schreibe, und sehe, wie die Dinge tatsächlich geschehen sind, bin ich schon ein wenig erstaunt darüber, wie schnell wir diese Entscheidungen getroffen hatten. Man muss sich vorstellen: Es waren gerade einmal drei Wochen vergangen, seitdem wir uns das erste Mal getroffen hatten. Es war ein Samstag, und ich sehe Peter noch vor mir, wie wir zusammen vor einem Möbeleinrichtungshaus standen und durch die Glasscheiben die schönen Möbel anschauten. Nach einer Weile bemerkte ich, wir könnten doch reingehen. Peter stimmte zu und meinte: «Warum nicht?» Wir sahen uns die Möbel aus nächster Nähe an und haben sie auch bei bester Beratung ausprobiert. Nach ca. drei Stunden verliessen wir das Einrichtungshaus und wir waren um 15'000 Franken leichter als beim Reingehen. Sprich, wir haben uns eine ganze Möbel-Aussteuer gekauft, so wie es damals üblich war für ein Paar, das in geordneten Verhältnissen heiraten wollte.

Wir mussten uns keine Sorgen um die Finanzen machen. Das Geld lag auf dem Konto. Wow! Welch ein Segen. Als Alleinstehende konnten wir genug Geld sparen. Nach drei Monate verlobten wir uns. Das Verlobungsfest war reichlich geschmückt, als unsere beiden Familien sich zur Feier trafen. Dazu gehörten ein feines Essen und ein fröhliches Zusammensein. Mit Geschenken wurden wir geradezu überschüttet.

Wenn ich daran zurückdenke, stimmt es mich dankbar, zu sehen und zu spüren, wie die liebende Hand unseres himmlischen Vaters über unserer Beziehung war. Während wir uns immer besser kennenlernten und die Liebe am Wachsen war, bereiteten wir uns auf unsere Hochzeit vor, die wir acht Monate, nachdem wir uns kennengelernt hatten, feiern durften. Die Zahl acht steht für einen Neubeginn. Die Acht symbolisiert ebenfalls Endlosigkeit, sie hat keine Ecken, ist rund. Das ist wirklich eine wunderbare Beschreibung.

Es ist ein Neubeginn für eine endlose Ehe, in der alle Kanten und Ecken geschliffen werden zu zwei harmonischen Edelsteinen, aus denen eine reich erfüllte Ehe entsteht. Somit waren alle Bedingungen erfüllt.

Die bevorstehende Vorbereitungszeit war sehr aufregend. Mein Hochzeitskleid habe ich selbst genäht. Peter hatte als Wunsch geäussert: Es wäre schön, wenn die Ärmel des Kleides trompetenförmig aussehen würden. Das ist mir tatsächlich gelungen. Meine Schwester Ruth hat mir beim Nähen und Anprobieren geholfen. Peter und ich waren natürlich das schönste Paar auf der ganzen Welt. Mein Kleid hängt noch immer im Schrank. Es ist ein sehr edles Satinkleid. Ich würde es heute wieder anziehen. Es ist nach wie vor voll im Trend.

Die Vorbereitungen liefen auf Hochtouren. Nur das Beste war gut genug. Dies erfuhren wir rundherum. Die Hochzeitsfeier selbst fand am 26. Mai 1979 in der Chrischona-Gemeinde in Wald im Kanton Zürich statt.

Der damalige amtierende Pastor Hans Woehrle hat uns getraut und den Segen Gottes über unsere Ehe ausgesprochen mit dem viel aussagenden Wort aus der Bibel:

> *«Einen anderen Grund kann niemand legen, ausser dem der gelegt ist, welcher ist Jesus Christus» (1. Korinther 3,11).*

An dieses Wort erinnerten wir uns sehr oft, vor allem in Zeiten der Not. Die Predigt darüber wurde tief in unsere Herzen eingepflanzt. Jesus ist und bleibt das Fundament unseres Lebens, bis zu unserem letzten Atemzug. Der Traugottesdienst wurde umrahmt von allerlei musikalischen Beiträgen. Zum Abschluss der Feierlichkeiten sangen alle zusammen, begleitet von einem mächtigen Orgelspiel, die grosse Doxologie

«Ehre sei Gott in der Höhe». Ich bekomme immer noch Gänsehaut, wenn ich daran denke, wie die Allmacht des herrlichen, alleinigen Gottes damit gepriesen wurde.

Ehre sei Gott in der Höhe

Felix Mendelssohn komponierte:

> *«Ehre sei Gott in der Höhe und Frieden auf Erden und den Menschen ein Wohlgefallen!*
> *Wir loben dich, wir benedeien dich, wir beten dich an, wir preisen dich, wir sagen dir Dank um deine grosse Herrlichkeit willen.*
> *Herr Gott! Himmlischer König! Allmächtiger Vater!*
> *Herr, du eingeborener Sohn, Jesu Christi!*
> *Herr, Gott, du Lamm Gottes, Sohn des Vaters!*
> *Der du die Sünde der Welt trägst, erbarme dich unser!*
> *Der du die Sünde der Welt trägst, nimm an mein Gebet.*
> *Der du sitzest zur Rechten des Vaters, erbarme dich unser!*
> *Denn du allein bist heilig, denn du allein bist der Herr, du allein bist der Allerhöchste,*
> *Jesus Christus mit dem Heiligen Geiste in der Herrlichkeit Gottes, des Vaters Amen!»*

Der Teil des Fotografierens folgte, wodurch wir wunderschöne Erinnerungen haben. Ein weiteres Highlight unserer Hochzeit waren die zwei Postautos, die die ganze Hochzeitsgesellschaft zum Bauernhof am

Steilhang hochfuhren, auf dem ich aufgewachsen bin. Auch das war ein besonderes und eindrückliches Erlebnis.

Anschliessend fuhren wir nach Fischenthal ins Altersheim, wo uns ein reichhaltiger Apéro offeriert wurde. Die Pensionäre feierten von ganzem Herzen mit uns und das Fest brachte eine Abwechslung und viel Freude in ihren Alltag. Eine Pensionärin strickte für mich als Geschenk zur Hochzeit eine Wolldecke.

Wir durften eine solch grosse Liebe uns gegenüber spüren. Alle haben ihr Bestes dazu beigetragen, um Peter und mir den schönsten Tag unseres Lebens zu bescheren. Meine Schwester Ruth und mein Schwager Heinz waren unsere Trauzeugen. Sie haben uns durch einen unvergesslichen Tag begleitet und uns mit vielen Überraschungen begeistert. Um nur eine zu erwähnen: die Dampflokomotiven Fahrt von Bauma nach Hinwil. Das war ein unvergessliches Vergnügen.

Die Reise ging weiter zum Rheinfall. Auch die Hochzeitsgäste konnten wir mit dieser Überraschung erfreuen. Es war der Ort, an den wir bei unserem ersten Treffen hingefahren sind. Der Rheinfall ist ein Ort, den wir bis heute noch gerne besuchen. Zur Erinnerung an unsere Hochzeit schenkte uns der Restaurantbesitzer zwei Gläser mit dem Rheinfall-Motiv.

Es war nun schon spät am Nachmittag. Wir machten uns auf nach Frauenfeld ins Hotel Blumenstein. Dies ist der Ort, wo meine Schwester Ruth als Hausbeamtin arbeitete. Das Fest konnten wir in einem grossen, schön geschmückten Saal abhalten. Als Tischdekoration hatten Peter und ich 80 kleine Kochherde gebastelt, für jeden Gast seinen persönlichen.

Das war ein weiteres Highlight. Der Grund für diese Auswahl war, dass wir beide gerne kochten. Mit dieser aufwendigen und gelungenen Tischdekoration erfreuten wir auch die Gäste.

Nach einem reich ausgefüllten Tag freuten sich alle auf ein gutes Abendessen.

Was gab es denn zu essen? Das Menü: Consommé Royale, frischer Spargel mit Rohschinken, gemischter Salat, Kalbsnierenbraten glasiert, Kartoffelcroquetten, Nudeln, Gemüsegarnitur, Fruchtsalat und zur Krönung die Hochzeitstorte.

Der Abend wurde verschönert durch die verschiedensten Darbietungen wie zum Beispiel Theater, Musizieren, Gedichte, Wettbewerbe, Schnitzelbank und vieles mehr. Wir waren keine Tänzer, und trotzdem war das Programm vollgestopft. Es wurde niemandem langweilig. Es war ein Freudentag, der das Fundament legte für ein freudiges, spannendes, aufregendes, turbulentes, und manchmal auch schwieriges und trauriges Eheleben.

«Alles hat seine Zeit. Jedes Ereignis, alles auf der Welt hat seine Zeit: Geborenwerden und Sterben, Pflanzen und Ausreissen, Töten und Heilen, Niederreissen und Aufbauen, Weinen und Lachen, Klagen und Tanzen, Steinewerfen und Steine sammeln, Umarmen und Loslassen, Suchen und Finden Aufbewahren und Wegwerfen, Zerreissen und Zusammennähen, Schweigen und Reden, Lieben und Hassen, Krieg und Frieden. Was also hat der Mensch davon, dass er sich abmüht? Ich habe erkannt, was für eine schwere Last das ist, die Gott den Menschen auferlegt hat. Für alles auf der Welt hat Gott schon vorher die rechte Zeit bestimmt. In das Herz des Menschen hat er den Wunsch

gelegt, nach dem zu fragen, was ewig ist. Aber der Mensch kann Gottes Werke nie voll und ganz begreifen. So kam ich zu dem Schluss, dass es für den Menschen nichts Besseres gibt, als fröhlich zu sein und das Leben zu geniessen. Wenn er zu essen und zu trinken hat und sich über die Früchte seiner Arbeit freuen kann, ist das Gottes Geschenk. Ich begriff, dass Gottes Werk für immer bestehen wird. Niemand kann etwas hinzufügen oder wegnehmen. So hat Gott es eingerichtet, damit die Menschen Ehrfurcht vor ihm haben. Was immer sich auch ereignet oder noch ereignen wird - alles ist schon einmal da gewesen. Gott lässt von neuem geschehen, was in der Vergangenheit bereits geschah» (Prediger 3,1-15).

Reich erfüllt und mit grosser Dankbarkeit schauen wir auf unsere Hochzeit zurück.

Kapitel 5: Im Hafen der Ehe gelandet

Ein weiterer Höhepunkt waren die Flitterwochen, die wir gleich nach der Hochzeit antraten: Wir gingen auf und davon in unser Lieblingsland Kanada. Zuerst ging es an den Rheinfall in der Schweiz, gleich danach an die Niagarafälle in Kanada.

Die Niagarafälle sind ein Naturwunder der ganz besonderen Art. Sie gehören zu den grössten Wasserfällen der Erde und begeistern jedes Jahr Millionen Besucher. Der Niagara-Fluss, der den Eriesee und den Ontariosee verbindet, stürzt an dieser Stelle über drei Fälle in die Tiefe. Der Fluss gehört, gemessen an seiner Länge von nur 57 Kilometern, zu den wasserreichsten der Erde. Unvergesslich.

Ein zweites Erlebnis, das uns bis heute in Erinnerung bleibt, ist eine Führung durch die First Presbyterian Church an den Niagarafällen. Der Bau, die Innenstruktur, die Atmosphäre ... Einfach einzigartig. Die Kirche ist mehrere hundert Jahre alt.

Das Hotelzimmer war purer Luxus. Seit damals übernachteten wir nie wieder in einem so luxuriösen

Hotel. Wir wurden nach Strich und Faden verwöhnt, so wie es sich in den Flitterwochen gebührt. Das war einmalig.

Danach flogen wir weiter nach Vancouver in British Columbia. Hier hatten wir während dreieinhalb Wochen eine Bleibe bei meinem Onkel. Von da aus unternahmen wir allerlei für Ausflüge, zum Beispiel nach Penticton am Okanagen Lake, in die Rocky Mountains, zum Lake Louise, dem Peyto Lake und dem Morraine Lake, Angel Glacier und vielen mehr.

Verbrannt

Unser erster Abstecher führte uns, wie erwähnt, nach Penticton am Okanagen Lake. Von Vancouver war das ca. fünf Busstunden entfernt. Wir suchten eine nette Unterkunft, wo wir uns für mehrere Tage niederlassen konnten. Wir genossen die Berge, die Sonne und das Wasser. Die Stärke der Sonneneinstrahlung hatte ich total unterschätzt. Anfänglich bemerkte ich gar nichts davon, wie mich die Sonne allzu zu sehr verbrannte. Am ganzen Körper erlitt ich starke Verbrennungen.

«Solarcaine Creme» war eine Woche lang das Schlagwort. Peter musste mehrere Fünf-Liter-Kanister Essig heranschleppen, um mir mit Umschlägen die Schmerzen zu lindern. Liebevoll pflegte er mich Tag und Nacht und das mit grosser Geduld. Letztendlich hat er den Geduldstest bravourös bestanden.

Ein Elch zum Lachen

Wir reisten weiter. In der Wildnis von Kanada gibt es viele verschiedene Tiere. Der Busfahrer machte uns darauf aufmerksam, die Tiere zu beobachten. Das taten wir. Wir waren nachts mit dem Greyhound-Bus unterwegs, der durch ganz Kanada fährt. Plötzlich entdeckte ich in der Ferne eine dunkle Gestalt. Ich rief dem Busfahrer zu, dass ich einen «Moose» sehe, einen Elch, aber als wir dem Phänomen näherkamen und die Gestalt klarer sichtbar wurde, rief der Busfahrer, dass es ein Mensch mit Rucksack war. Er musste so stark lachen, dass er fast nicht mehr fahren konnte. Wir kugelten uns alle vor Lachen. Der Chauffeur lachte immer noch, als wir schliesslich in Jasper aus dem Bus ausstiegen.

Das war auch für den Fahrer ein einmaliges Erlebnis. Der Jasper National Park ist eine Reise wert. Genauso wie das Gletscher-Abenteuer auf dem Columbia Ice Field, oder die Berglandschaft der Athabasca Falls. Der bekannte Wintersportort Lake Louise und die Grünwasserseen sind einfach sensationell, unglaublich und einzigartig. Da kann man nur über die Grösse Gottes staunen.

«Denn, HERR, du lassest mich fröhlich singen von deinen Werken, und ich rühme die Taten deiner Hände. HERR, wie sind deine Werke so gross! Deine Gedanken sind sehr tief» (Psalm 92,5-6).

Die vier Wochen in der Ferne, in der wilden Freiheit von Kanada, bleiben uns bis heute in bester Erinnerung.

Der Ernst des Lebens beginnt

Die Ehe ist ein lebenslanger Prozess mit vielen Hochs und Tiefs. Das wichtigste dabei ist es zu wissen, dass *«weder Hohes noch Tiefes noch irgendeine andere Kreatur uns scheiden kann von der Liebe Gottes, die in Christus Jesus ist, unserm Herrn» (Römer 8,39).*

In all den Jahren, die folgten, wurden wir zu wunderbaren Diamanten, unter viel Druck, Leid, Tränen, Versagen, Demütigung und Ablehnung geschliffen. Es geschah öfters, dass wir keinen Ausweg mehr sahen. Dann ging Peter in den Wald und schrie zu Gott um Hilfe. Der Allmächtige, der mit seinen Kindern einen Bund geschlossen hat, liess uns nie fallen. Seine Liebe und Treue wollen wir ewig rühmen.

«Mit dir kann ich die Feinde bezwingen; mit dir, mein Gott, kann ich über Mauern springen» (Psalm 18,30).

«Des Herrn Rat ist wunderbar und er führt es herrlich hinaus» (Jesaja 28,29).

Zurück in der Normalität

Unsere Ehe war gerade einmal sechs Wochen alt, und wir bereiteten uns auf eine lange gemeinsame Abenteuerreise vor. Nachdem ich eine Auszeit genossen hatte, kam das Bedürfnis in mir hoch, wieder einer Aufgabe im Dienst am Mitmenschen anzunehmen. So öffnete Gott mir eine Türe im Blindenheim in Bern. Mit viel Liebe durfte ich die Menschen dort betreuen, Blinde und Taubblinde. Mir wurde bewusst, wie dankbar diese Menschen waren, und wie sensibel sie gegenüber Mitmenschen oder Situationen sind.

Eine Begebenheit werde ich nie vergessen. Während der Zeit, als ich dort die Menschen betreute, wurde ich schwanger mit unserem ersten Kind. Eine Pensionärin lag mir ganz besonders am Herzen. Zu ihr hatte ich eine besonders enge Beziehung. Diese Dame war seit ihrer Geburt blind. Ich erzählte ihr, dass ich schwanger wäre. Voller Freude verkündete sie: «Oh, ich möchte dir gerne eine Strampelhose stricken für das Baby. Bring mir doch Wolle, damit ich bald mit dem Stricken beginnen kann.» Sie versicherte mir, sie arbeite nur mit einem bestimmten Material, nämlich mit «Mon Amour»-Wolle. Ich erinnerte mich, dass ich noch Wolle zu Hause hatte. Das war zwar keine «Mon Amour», aber ich dachte, das sollte schon gehen. Am nächsten Tag brachte ich ihr die Wolle. Sie freute sich darauf, gleich loszulegen. Als sie die Wolle in die Hand nahm, sagte sie mit einer traurigen Stimme: «Das ist keine ‹Mon Amour›-Wolle.»

Wow, stand ich beschämt da. Zum einen, weil ich ihr nicht die nötige Aufmerksamkeit geschenkt hatte und dachte, weil sie blind ist, merke sie den Qualitätsunterschied nicht. Zum anderen hat es mich berührt, als sie sagte, die «Mon Amour» sei die feinste und molligste Wolle, um ein Babykleidchen zu stricken, und sie sei sehr angenehm zu tragen. Das beschämte mich gerade noch mehr. Da habe ich eine dicke, fette Lektion gelernt.

Selbstverständlich begab ich mich nach dieser Lektion sofort in das Wollgeschäft und kaufte die echte «Mon Amour»-Wolle. Die Frau war dann sehr zufrieden und strickte mit viel Freude die Strampelhose. Blinde oder stark seheingeschränkte Menschen sind hochsensibilisierte Personen, die man nicht hintergehen sollte und darf. Sie haben Liebe, Ehre, Anerkennung und Aufmerksamkeit verdient, mehr als jemand der das volle Augenlicht geschenkt bekam.

Mit blinden Menschen zu arbeiten, hat mich im Allgemeinen sensibler und feinfühliger gemacht, auch gegenüber meinem Mann und meinen Mitmenschen.

«Darum sollst du den Herrn, deinen Gott, lieben mit ganzem Herzen und ganzer Seele, mit deinem ganzen Denken und mit deiner ganzen Kraft. Als zweites kommt hinzu: Du sollst deinen Nächsten lieben wie dich selbst» (Markus 12,3-31).

Genau das ist der Punkt. Gott gibt uns durch sein Wort klare Anweisungen, ihn zu lieben, ihn zu ehren, für ihn zu leben und unser eigenes Ego und unsere Dickköpfigkeit, die Kontrolle über alles haben zu wollen, abzulegen.

Sich selbst zu lieben, bedeutet zu verstehen, dass Gott uns liebt. Zuerst müssen wir uns akzeptieren und zwar so, wie wir sind. Viele Menschen können das nicht, weil sie die Schöpferhand Gottes in ihrem Leben nicht erkennen und die meisten ein falsches Gottesbild haben. Das kann zum Beispiel aufgrund der persönlichen Erfahrungen geschehen, die jemand mit seinem irdischen Vater erlebte. Jeder Mensch muss lernen, sich zu lieben, sich selbst zu vergeben. Die Menschen sind sich allzu oft nicht bewusst, dass dies der Weg ist, um Gott von ganzem Herzen lieben zu können.

Ja, die Menschen denken nur an sich selbst, weil sie egozentrisch orientiert sind, und weil diese Welt von Egoismus und Humanismus geprägt ist. Das hat aber nicht im Entferntesten damit zu tun, sich selbst zu lieben. Im Gegenteil: Es kann zu Ablehnung und Verdammnis führen.

Ich musste lernen, mich zu lieben, und mir selbst zu vergeben für die schlechten Dinge, die ich getan habe, und dass ich Gott nicht immer an erste Stelle in meinem Leben gesetzt habe. Wenn die ganze Liebe durch den Heiligen Geist in unsere Herzen ausgegossen ist, werden wir fähig, unseren Nächsten zu lieben.

«Seine Liebe ist ja in unsere Herzen ausgegossen durch den Heiligen Geist, den er uns geschenkt hat» (Römer 5,5).

«Aus Mangel an Erkenntnis geht mein Volk zu Grunde» (Hosea 4,6).

Peter und ich haben viele Gemeinsamkeiten. Wir konnten uns immer gut ergänzen. Er ist eher eine ruhige, introvertierte, überlegte Persönlichkeit. Der ruhende Pol. Er lässt sich nicht schnell aus der Ruhe bringen. Wie sein Name es sagt: Er war immer der Fels in der Brandung. Er ist ein Mensch mit viel Ausdauer, Geduld und voll Glauben.

Im Gegensatz zu mir. Als extrovertierte Person kann ich mich sehr schnell von etwas begeistern lassen, es aber letztendlich nicht immer durchziehen. Im Laufe der Jahre hat sich allerdings vieles verändert. Das Wort Gottes sagt: *«Und stellet euch nicht dieser Welt gleich, sondern verändert euch durch die Erneuerung eures Sinnes, auf dass ihr prüfen möget, welches da sei der gute, wohlgefällige und vollkommene Gotteswille» (Römer 12,2).*

Wir müssen auch verstehen lernen, dass Mann und Frau nicht gleich geschaffen sind. Wenn wir diesen einen Punkt verstehen, haben wir schon sehr viel an Erkenntnis gewonnen, und viele Probleme können einer Ehe erspart bleiben. Deshalb ist es so wichtig, die Liebessprache des Partners und der Partnerin kennenzulernen, sie zu studieren und anzuwenden. Stell dir vor: Du lädst zum Beispiel deinen Partner zweimal in der Woche am Abend ein, mit dir auszugehen. Dabei weisst du genau, dass dein Mann nichts mehr liebt, als den Abend zu Hause auf dem Sofa zu geniessen, und es ihm widerstrebt, sich in andere Klamotten zu stürzen. Du ziehst es aber trotzdem durch oder zwingst ihn sogar dazu und verstehst nicht, worum es geht. So hast du nicht in seiner Liebessprache gesprochen. Konflikte und Streit sind dann unumgänglich.

Ein weiterer wichtiger Punkt, den ich hier auch erwähnen möchte, ist folgender: Lerne den Typ deines Partners kennen. Ist er Sanguiniker, Phlegmatiker, Choleriker oder Melancholiker? Die Charaktereigenschaften des Partners kennenzulernen, ist absolut grundlegend.

Goldene Regeln für eine glückliche Ehe

1. Gottes Wort als Fundament.
2. Gemeinsamer Glaube an Jesus Christus (Glaubensrichtung).

3. Gemeinsame Gebete und Anbetung, aber auch individuelles Gebet.
4. Offene Kommunikation und keine Geheimnisse gegenüber dem Partner.
5. Oberste Priorität haben: Liebe, Wertschätzung, Respekt, Vertrauen, Rücksichtnahme.
6. Gegenseitige Offenheit, Transparenz, Toleranz, Vergebung, Verständnis, Selbstlosigkeit, eigene Bedürfnisse zurückstellen.
7. Den Ehepartner nie vor anderen Menschen blossstellen.
8. Der Ehepartner darf nie zum Diskussionspunkt im Gespräch mit Dritten werden.
9. In kritischen Situationen zuerst überlegen, bevor man redet.
10. Reden ist Silber, Schweigen ist Gold.
11. Gegenseitige Unterordnung (1. Petrus 5,5).
12. Vergeben, nicht nachtragend sein, Probleme zusammen austragen, im Gespräch und vor Gott im Gebet, allenfalls einen Seelsorger hinzuziehen. *«Wenn ihr zornig seid, dann ladet nicht Schuld auf euch, indem ihr unversöhnlich bleibt. Lasst die Sonne nicht untergehen, ohne dass ihr einander vergeben habt» (Epheser 4,26).*
13. Am eigenen Charakter arbeiten. Denke nicht, der andere soll sich verändern. Beginne bei dir.
14. Behandle deinen Partner so, wie du von ihm oder ihr behandelt werden möchtest.
15. Zweisamkeit pflegen, gemeinsame Interessen fördern, zum Beispiel Ferien, Ausgehen, Sport, Reisen etc.
16. Freundschaften pflegen mit anderen Paaren, später Familien.

17. Auseinandersetzungen zwischen den Eltern nie vor den Kindern austragen.
18. Finanzen immer für beide offen darlegen.
19. Entscheidungen immer in Übereinstimmung miteinander treffen.
20. Die Frau sollte eine friedliche Atmosphäre kreieren, damit ihr Partner sich entspannen kann, wenn er am Abend von der Arbeit nach Hause kommt.

Dies sind die Regeln, die wir angewandt haben und bis heute durchziehen. Aus diesem Grund hat unsere Ehe tiefe Wurzeln geschlagen. Durch die Gnade Gottes haben wir es geschafft, jede Herausforderung, die das Leben mit sich bringt, zu meistern. Deshalb ist es so wichtig, dass eine Ehe auf dem Fundament von Jesus Christus aufgebaut wird.

«Ertragt einander und vergebt einander, wenn einer gegen den anderen zu klagen hat; gleichwie Christus euch vergeben hat, so auch ihr» (Kolosser 3,13).

«Wenn ich in den Sprachen der Menschen und Engel redete, hätte aber die Liebe nicht, wäre ich dröhnendes Erz oder eine lärmende Pauke. Und wenn ich prophetisch reden könnte und alle Geheimnisse wüsste und alle Erkenntnis hätte; wenn ich alle Glaubenskraft besässe und Berge damit versetzen könnte, hätte aber die Liebe nicht, wäre ich nichts. Und wenn ich meine ganze Habe verschenkte und wenn ich meinen Leib opferte, um mich zu rühmen, hätte aber die Liebe nicht, nützte es mir nichts. Die Liebe ist langmütig, die Liebe ist gütig. Sie ereifert sich nicht, sie prahlt nicht, sie bläht sich nicht auf.

Sie handelt nicht ungehörig, sucht nicht ihren Vorteil, lässt sich nicht zum Zorn reizen, trägt das Böse nicht nach. Sie freut sich nicht über das Unrecht, sondern freut sich an der Wahrheit. Sie erträgt alles, glaubt alles, hofft alles, hält allem stand. Die Liebe hört niemals auf. Prophetisches Reden hat ein Ende, Zungenrede verstummt, Erkenntnis vergeht. Denn Stückwerk ist unser Erkennen, Stückwerk unser prophetisches Reden; wenn aber das Vollendete kommt, vergeht alles Stückwerk. Als ich ein Kind war, redete ich wie ein Kind, dachte wie ein Kind und urteilte wie ein Kind. Als ich ein Mann wurde, legte ich ab, was Kind an mir war. Jetzt schauen wir in einen Spiegel und sehen nur rätselhafte Umrisse, dann aber schauen wir von Angesicht zu Angesicht. Jetzt ist mein Erkennen Stückwerk, dann aber werde ich durch und durch erkennen, so wie ich auch durch und durch erkannt worden bin. Für jetzt bleiben Glaube, Hoffnung, Liebe, diese drei; doch am grössten unter ihnen ist die Liebe» (1. Korinther 13).

Die Melodie der Ehe

Ich möchte an diesem Punkt vorausschicken, dass ich nicht allzu viel Kenntnis über Musiktheorie habe. Was hier folgt, sind die Worte, die mir der Heilige Geist eingegeben hat, und ich versuche, sie auf das Blatt zu bringen.

In einer Ehe erleben wir nicht nur Sonnenseiten. Es gehören auch die schattigen dazu. Eine Melodie – darum geht es ja auch im Titel dieses Buches –beinhaltet, dass die Töne manchmal hoch im Sopran, manchmal tief im Bass, oft auch dazwischen, nämlich im Alt oder Tenor gesungen werden. Anhand der Melodie, die dein Leben oder deine Ehe spielt, kannst du deine Emotionen weitgehend einschätzen. Bist du mal himmelhochjauchzend ganz oben (im Sopran) und dann zu Tode betrübt ganz unten (im Bass)? Es gibt unzählig viele Tonleitern. Ich kenne nur einige davon: C-Dur, G-Dur, D-Dur, A-Dur, E-Moll oder H-Moll. Ich liebe Melodien in G-, C- und D-Dur sehr. Die sind fröhlich aufstellend. Du wählst die Musik entsprechend deiner persönlichen Verfassung. In meinen jungen Jahren liebte ich eher Melodien in D-Moll. Wir sehen, wie sich die Geschmäcker ändern. Neigst du eher dazu, fröhliche, aufgestellte Melodien zu singen oder zu hören, oder doch eher traurige, dezente Melodien? Eine Frage, die wir uns mal stellen können. Höre ich lieber Rock oder Pop bis hin zu aggressiver Musik? Die Art von Musik, die wir hören, widerspiegelt weitgehend den Zustand unserer Seele. Eine Melodie oder ein Lied, das nur von Alt und Tenor gesungen oder gespielt wird, empfinde ich als eher langweilig oder öde. Die Zuhörer würden wahrscheinlich nicht erfüllt und zufrieden den Konzertsaal verlassen und nach Hause gehen. Vielleicht wären sie sogar niedergeschlagen. Einige würden bestimmt frühzeitig den Konzertsaal verlassen, weil sie enttäuscht sind.

Beim Spielen eines Liedes oder bei einem Konzert braucht es also die ganze Vielfalt der Tonleitern, um das Optimale aus einem Stück herauszuholen. Genauso verhält es sich mit der Ehe. Es werden die unterschiedlichsten Tonleitern gespielt. Laute, tiefe, hohe, leise, aggressive Töne. Der Partner ist dann gefragt, auf dich zuzugehen und herauszufinden, wo der Schuh drückt. Einige der Schattenseiten, derer wir uns bewusst sein und auf die wir achtgeben müssen, sind die negativen Einflüsse, denen wir ausgesetzt sind. Ich möchte mich nicht allzu sehr im negativen Bereich aufhalten, aber doch muss ich einige Dinge, die eine Ehe in Gefahr bringen oder negativ beeinflussen können, erwähnen.

Da sind zum Beispiel Ärger, Frust, Enttäuschungen, Lieblosigkeit, Untreue, Streit, Ungeduld, allgemeine Probleme, finanzielle Sorgen, Missverständnisse, Schweigen, Probleme am Arbeitsplatz etc.

Ein frisch verheiratetes Paar sollte zu Beginn der Ehe oder am besten schon in der Vorbereitung darauf achten, dass sie viel Zeit miteinander verbringen. Sie müssen die Grundsätze der göttlichen Wahrheiten festlegen, an denen sie sich orientieren. Ich nenne sie «die göttliche Gebrauchsanweisung». Wir müssen herausfinden, wo die Schwachstellen des anderen sind, und lernen, darauf einzugehen und sie allenfalls mit Liebe zudecken.

«Gebt dem Teufel keine Gelegenheit, Unfrieden zu stiften» (Epheser 4,27).

«Macht euch keine Sorgen! Ihr dürft in jeder Lage zu Gott beten. Sagt ihm, was euch fehlt, und dankt ihm! Dann wird Gottes Friede, der all unser Verstehen übersteigt, eure Herzen und Gedanken bewahren, weil ihr mit Jesus Christus verbunden seid» (Philipper 4,6-7).

«Was eurem Glauben bisher an Prüfungen zugemutet wurde, überstieg nicht eure Kraft. Gott steht treu zu euch. Er wird auch weiterhin nicht zulassen, dass die Versuchung grösser ist, als ihr es ertragen könnt. Wenn

euer Glaube (Ehe) auf die Probe gestellt wird, schafft Gott auch die Möglichkeit, sie zu bestehen» (1. Korinther 10,13).

Bekenne und sprich das Wort Gottes tagtäglich über deine Ehe aus.

«Einen anderen Grund kann niemand legen, ausser dem der gelegt wurde, welcher ist Jesus Christus» (1. Korinther 3,11).

Zusammenfassend dürfen wir heute nach mehr als 41 Jahren Ehe wohl sagen, dass wir dieses Wort zu unserer täglichen Speise gemacht haben. Jesus und das Wort Gottes war, ist, und bleibt das Fundament unserer Ehe.

Peter ist zweisprachig. So pflegt er jeweils zu sagen: «Toi et moi et le roi, nous sommes trois.» (Du und ich und der König, wir sind drei.) Genauso ist es; Jesus sollte immer die dritte Person im Ehebund sein.

Der Heilige Geist war stets unser Führer, Beistand, Wegweiser und Tröster. Diese tiefe Wahrheit zog sich durch alle Zeiten der Ehe durch. Gott war stets unser Anker in stürmischen Zeiten, aber auch in denen, als sich das Wasser ruhig bewegte.

«Aus seinem grossen Reichtum wird euch Gott, dem ich gehöre, durch Jesus Christus alles geben, was ihr zum Leben braucht. Gott, unserem Vater, gebühren Lob und Ehre in alle Ewigkeit. Amen» (Philipper 4,19).

Wir wollen es auch nicht vergessen, unbedingt unserem liebenden himmlischen Vater, der sich als treu erwiesen hat, zu danken. Der liebende Vater, der uns immer versorgte, sodass wir nie Mangel litten. Der liebende Vater, der seine schützende Hand bis zum heutigen Tag über unserer Ehe hält. Der liebende Vater, der uns inmitten von Krankheit und Leiden immer Trost spendete. Wir danken unserem liebenden Vater, dass er unser Erlöser und Befreier ist durch Jesus Christus, unseren Herrn. Amen!

«Jeder soll dem anderen helfen, seine Last zu tragen. Auf diese Weise erfüllt ihr das Gesetz, das Christus uns gegeben hat. Wer sich jedoch einbildet, besser zu sein als die anderen, der betrügt sich selbst» (Galater 6,2-3).

Abschliessend zum Thema Ehe möchte ich den 40. Hochzeitstag beschreiben, den wir am 26. Mai 2019 in der New International Church in Biel mit der ganzen Gemeinde feiern durften. Es war ein unvergesslicher Tag. Wie Apostel John Sagoe sagte: «Wir feiern eine Mini-Hochzeit.» Für uns war es keine Mini-Hochzeit, sondern ein megagrosses Hochzeitsfest. Es war eine andere Ebene. Für viele Ehen war diese Feier eine Ermutigung.

Als Apostel John sich für den Gottesdienst und die «Hochzeitsfeier» vorbereitete, bat er Gott um ein Wort, das er an uns richten solle. Er bat darum, vierzig Jahre Ehe zusammenzufassen. Der Heilige Geist gab ihm fünf Punkte, die er uns mitteilen sollte:

1. Ehe und Familie wurden zur Ehre und Herrlichkeit Gottes geschaffen.
2. Die Ehe ist ein geistliches Kampfgebiet. Sie spielt sich nicht nur auf einem romantischen Balkon

ab. Alles, was von Gott ins Leben gerufen wurde, will der Feind zerstören.

3. Wir beide haben 40 Jahre zusammengehalten. Dass wir einander lieben und aneinander glauben, ist der Beweis dafür, dass wir keine Feinde sind. Unsere Ehe wurde durch Gottes Führung geschlossen. Dass wir noch zusammen sind, ist nicht menschliches Erarbeiten, sondern göttliches Zusammenfügen.
4. Wir beide sind noch zusammen, weil das Gebet im Zentrum unserer Ehe steht. Es ist das Gebet, das uns so weit gebracht hat. Ein Ehepaar, das zusammen betet, eine Familie, die am anhaltenden Gebet festhält: darin liegt der Sieg für eine erfolgreiche, gesegnete Ehe.
5. Der grösste Feind und Mörder von Ehen aller Zeiten ist die Isolation. Wir haben bewiesen, dass wir nicht in der Isolation leben. Deshalb haben wir es bis hierhin geschafft. Wir sind immer noch zusammen, wir vertrauen Gott Hand in Hand. Wir sind auf einer gemeinsamen Reise. Amen!

Zusammen mit Apostel John feierten wir das Abendmahl. Er salbte uns für weitere vierzig Jahre Ehe. Unser Pastor hat sehr viel göttlichen Humor ... Im Anschluss an den Gottesdienst feierten wir zusammen mit unseren Söhnen und Töchtern, meiner Jugendfreundin Regula und ihrem Mann Walter, meinem Bruder Paul und seiner Frau Hanny und der ganzen Gemeinde einen reichhaltigen Apéro. Wir danken Apostel John für seinen Dienst. Wir lieben ihn sehr.

Kapitel 6: Mutter sein mit Leidenschaft

Mit fünf Kindern konnte ich viele wertvolle Erfahrungen sammeln. Ich habe daher den Eindruck, dass ich dieses Kapitel gebrauchen möchte, um Ermutigung, bewährte Richtlinien und Anhaltspunkte weiterzugeben.

Um eine Ehe zur Vollkommenheit zu führen, schenkt Gott den Eltern Kinder. Eine Familie zu gründen, ist in Gottes Plan und in seinem Willen.

Jedes Mal, als eines unsere Kinder zur Welt kam, waren wir als Eltern so überwältigt von der schöpferischen Kraft und der Perfektion von Gott unserem Vater.

Das erste, was die Hebamme nach der Entbindung tut, ist: dass sie der Mutter ihr Baby an die Brust legt, um den Körperkontakt herzustellen. Das dient dazu, dass die tiefe Seelenbindung hergestellt werden kann, die so wichtig ist. Die Mutter-Kind-Beziehung ist das Kostbarste im Leben. Die Allmacht Gottes und seine absolute Liebe auf diese Weise erfahren zu dürfen, ist eine unglaublich schöne und beglückende

Erfahrung. Es ist schwer zu glauben, dass es Menschen gibt, die nicht an Gott glauben, wenn sie ein neugeborenes Baby in den Armen halten dürfen. Er beweist sich seinem Volk tagtäglich. Wenn dein Kinderwunsch bis jetzt noch nicht in Erfüllung gegangen ist und du die Frucht des Leibes noch nicht empfangen konntest, so nimm bitte dieses Gebet für dich in Anspruch. Bete:

«Vater, ich danke dir für mein Leben, danke, dass du Gedanken des Friedens, der Liebe und der Freude über mir hast und nicht des Leidens. Heiliger Geist, wir beten, berühre mich, öffne meine Gebärmutter, dass ich empfangen kann. Hilf mir loszulassen und dir zu vertrauen. Wir weisen jede Verzögerung zurück in Jesu mächtigem Namen. Amen!»

«Siehe, Kinder sind eine Gabe des HERRN, und Leibesfrucht ist ein Geschenk Gottes» (Psalm 127,3).

Das Geschenk, Mutter zu sein

Mutter zu sein ist ein wunderbares Geschenk des Herrn, das er bei der Schöpfung in jede Frau hineingelegt hat. Als junge Frau hegte ich den tiefen Wunsch in mir, eines Tages eine grosse Familie gründen zu können. Gott hat dieses Gebet beantwortet.

Für mich war es und ist es immer noch eine zutiefst befriedigende Aufgabe, Mutter zu sein. Im Muttersein konnte ich meine Gaben zur Entfaltung bringen. Gleichzeitig ist es eine sehr anspruchsvolle und verantwortungsvolle Aufgabe Gott gegenüber. Das wurde mir beim ersten Kind sehr stark bewusst.

Mutter wird man einfach so, ohne viel dazu zu tun. Das ist ein unfassbares Wunder. Die Mutterliebe ist eine grossartige Idee unseres himmlischen Vaters. Gott hat dieses Bedürfnis und Verlangen in das Herz gepflanzt. In der Bibel ist Mutterliebe ein Bild dafür, wie sehr und bedingungslos Gott uns Menschen liebt.

«Ich will euch trösten wie eine Mutter ihr Kind» (Jesaja 66,13).

«Ich bin zur Ruhe gekommen. Mein Herz ist zufrieden und still. Wie ein Kind in den Armen seiner Mutter, so ruhig und geborgen bin ich bei dir!» (Psalm131,2).

Das Muttersein ist eine sehr wichtige Rolle, die Gott den Frauen zugeschrieben hat. Eine Mutter soll ihre Kinder lieben, ihnen Geborgenheit und Sicherheit schenken.

«Die älteren Frauen in der Gemeinde sollen das Gute lehren, damit sie die jungen Frauen dazu anleiten, ihre Männer und ihre Kinder zu lieben» (Titus 2,4).

Das Muttersein beinhaltet viele Berufe. Zum Beispiel Köchin, Seelsorgerin, Erzieherin, Haushälterin, Gastgeberin, Buchhalterin, Krankenpflegerin, Lehrerin, Handwerkerin, Chauffeurin usw. Etwas salopp ausgedrückt kann man es folgendermassen nennen: Die Mutter ist die «Innenministerin», und der Vater ist der «Aussenminister».

Mutter zu sein ist eine Berufung und kein Nebenjob. Es ist eines der weitumfassendsten Aufgabenfelder im Leben. Warum ist es so, dass das Muttersein in unserer Gesellschaft so heruntergespielt wird? Die Kinder müssen her, aber wenn sie da sind und grösser werden, sind sie plötzlich Nebensache oder stehen sogar der Karriere der Eltern im Weg. Dies sind sehr oft Kinder, die Mühe haben, sich später in der Gesellschaft zu integrieren, weil sie eine emotionale Leere aufweisen. Emotionale und geistige Verwahrlosung kann das Resultat davon sein.

«Kann eine Mutter ihren Säugling vergessen? Bringt sie es übers Herz, das Neugeborene seinem Schicksal zu überlassen? Und selbst wenn sie es vergessen würde - ich vergesse dich niemals! Unauslöschlich habe ich deinen Namen auf meine Handflächen geschrieben, spricht Gott der Herr» (Jesaja 49,15).

Diese Botschaft macht mich froh. Mein Name ist in die Handfläche Gottes geschrieben. Welch eine Ermutigung und Hoffnung.

Ich bin vielleicht altmodisch in dieser Beziehung, magst du denken. Aber meine Bibel lehrt mich: Wir sollten lieben, wertschätzen und ehren, was Gott uns anvertraut hat.

Wir müssen verstehen, dass die Familie die kleinste und gleichzeitig stärkste Einheit in der Gesellschaft ist. Gott ist der Initiator von Ehe und Familie. Jetzt verstehen wir, warum Familien so unter Beschuss sind und dermassen vom Feind angegriffen werden. Er will das zerstören, was Gott erschaffen hat.

«Derhalben beuge ich meine Knie vor dem Vater unsers HERRN Jesu Christi, der der rechte Vater ist über alles, was da Kinder heisst im Himmel und auf Erden, dass er euch

Kraft gebe nach dem Reichtum seiner Herrlichkeit, stark zu werden durch seinen Geist an dem inwendigen Menschen, dass Christus wohne durch den Glauben in euren Herzen und ihr durch die Liebe eingewurzelt und gegründet werdet, auf dass ihr begreifen möget mit allen Heiligen, welches da sei die Breite und die Länge und die Tiefe und die Höhe; auch erkennen die Liebe Christi, die doch alle Erkenntnis übertrifft, auf dass ihr erfüllt werdet mit allerlei Gottesfülle. Dem aber, der überschwänglich tun kann über alles, das wir bitten oder verstehen, nach der Kraft, die da in uns wirkt» (Epheser 3,14-20)

Ich liebe das Wort Gottes. Es ist die Richtschnur und die göttliche Gebrauchsanweisung dafür, eine gesegnete Mutter zu sein und eine glückliche Familie aufzubauen.

Gottes Wort eingepflanzt

Jede Mutter weiss, wie oft sie Opfer bringen muss wegen der Kleinen. Sie steckt ein, tritt zurück und gibt, egal ob jemals etwas zurückkommt. Einfach gesagt: Sie lebt selbstlos auf ganzer Linie. Je mehr eine Mutter gibt, desto gesegneter werden ihre Kinder aufwachsen und desto mehr wird auch die Mutter überglücklich sein. Das ist eine grosse Genugtuung und ein gewaltiger Segen. Jede Mutter wird so auch gewiss die Früchte ernten können. Wir müssen für unsere Kinder kämpfen.

Egal wie alt die Kinder sind, egal ob es uns Müttern gut geht oder nicht, egal wie die Herausforderungen sind, denen wir Stand halten müssen: Eine Mutter freut sich, wenn sich ihr Kind freut, sie weint, wenn ihr Kind weint, sie lacht, wenn ihr Kind lacht, sie leidet, wenn ihr Kind leidet. Das ist eine wahre Mutter.

Lass dein Kind wissen und spüren: Egal was es im Leben anrichtet, du liebst es immer. Und egal wie schlimm die Situation ist, das Kind soll die Gewissheit haben, dass es bei Mama alles loswerden kann; sie spendet ihm Trost. Sei ein guter Zuhörer. Alleine durchs Zuhören können gewisse Probleme bereits gelöst werden.

Als Mutter musst du eine Beterin sein. Denn es gibt Momente und Zeiten, in denen du dich mit deinen Kindern nicht unterhalten kannst, wo du schweigen musst. Da hilft nur durchbeten, glauben und vertrauen, dass jede Situation in den Händen Gottes liegt und er die Lösung dafür hat.

«Des Herrn Rat ist wunderbar und er führt es herrlich hinaus» (Jeremia 28,29).

Es ist die Aufgabe der Mutter, den Kindern schon vom ersten Lebenstag an Jesus in ihr Herz einzupflanzen, damit sie ihn schon früh in ihr Leben einladen können. Dieser Same wird früher oder später in seiner ganzen Pracht aufgehen. Man kann sich das vorstellen, als wenn man ein Sämlein in die Erde legt, das dann aufgehen wird. Als Mutter bist du gefordert, eine Kämpferin zu sein. Du musst eine stetige Beziehung zu Jesus pflegen, damit du sicher stehen kannst, wenn die Stürme des Lebens kommen.

Wenn ein Kind klein ist, entwickelt es sich sehr schnell. Und als Mutter bist du begeistert und kannst es kaum erwarten, bis es endlich sitzen kann oder

der erste Zahn kommt. Ich muss heute noch staunen über die Kreativität, die Gott einsetzte in der Erschaffung unserer Kinder.

Du kannst zwei, fünf oder zehn Kinder haben, jedes ist anders und einzigartig. In der Erziehung haben wir Grundprinzipien, nach denen Kinder zu erziehen sind. Diese wenden wir dann individuell auf jedes Kind an. Als Mutter kommt man manchmal auch an die eigenen Grenzen, und dann bist du froh, von deinem Ehemann unterstützt zu werden. So kannst du mit ihm zusammen vor den Herrn kommen und um Wegweisung bitten bei verschiedenen Familienangelegenheiten, für die Schule, bei der Berufswahl, Arbeitsstelle oder für den Freundeskreis.

Eine Familie zu führen, über die sich Gott freuen kann, muss auf dem Wort Gottes, der Bibel, gegründet sein.

Durch gegenseitiges Unterordnen und Respektieren der Elternteile entwickelt sich eine gesunde Familie, trotz aller Schwierigkeiten und Herausforderungen. Diese werden kommen, auch von ausserhalb der Familie, durch die Schule, Sport, Unterhaltung, Freunde oder allgemeine Freizeitaktivitäten.

Jeder, der das liest, darf getrost sein und wissen: Wenn die göttlichen Prinzipien angewendet werden und das Wort Gottes und Gebet die Grundlagen unseres Familienlebens sind, ist Jesus mit im Boot. Er soll der Steuermann deiner Familie sein.

Vom Kind zum Freund

In meiner Rolle als Mutter war es für mich immer klar, dass Kinder ein Geschenk vom Herrn sind, die er mir anvertraut hat, bis sie selbstständig auf eigenen Beinen stehen können. Sie sind nicht mein Besitz. Deshalb ist es so wichtig, in unsere Kinder zu investieren. Ein grosses Geheimnis ist, die Kinder bereits loszulassen, wenn sie zur Welt kommen. Noch besser: Schon im Mutterleib dürfen wir sie dem Herrn zurückzugeben. Das klingt vielleicht seltsam. Aber sie gehören dem Herrn. Leider benutzen viele Eltern die Kinder als Mittel zum Zweck, um ihr eigenes Ego zu befriedigen.

Man kann es auch anders ausdrücken: Der Herr hat den Kindern Eltern geschenkt. Denke darüber nach! Das ist eine sehr tiefe Wahrheit.

Der Herr hat uns fünf wunderschöne und kostbare Kinder geschenkt, drei Töchter und zwei Söhne. Inzwischen sind sie zwischen 29 und 39 Jahren alt. Zusätzlich sind zwei süsse Enkelkinder eine Bereicherung für unser Leben. Da sie in Kanada leben, können wir sie leider nur alle paar Jahre sehen und in die Arme nehmen.

Es ist sehr wichtig, zu jedem einzelnen Kind eine tiefe Beziehung aufzubauen, die sich dann später, wenn das Kind erwachsen wird, zu einer Freundschaft entwickelt. Dann geht es nicht mehr um Mutter und Kind, sondern um eine freundschaftliche Beziehung unter erwachsenen Menschen. Das ist so etwas Kostbares.

Wenn dir das gelingt, werden die erwachsenen Söhne und Töchter immer wieder zu dir kommen, um sich mit dir auszutauschen oder dich um Rat zu fragen. Es spielt dann keine grosse Rolle, ob sie 40, 30 oder 20 Jahre alt sind. Deshalb ist die Beziehung, die wir aufbauen, enorm wichtig.

Einige Tipps zum Weitergeben

1. Sage deinem Kind immer, dass du es liebst! Es saugt das auf wie ein Schwamm. Als unsere Kinder klein waren, riefen wir sie jeweils: «Komm, ich muss dir was ins Ohr flüstern.» Wir sagten ihnen immer dasselbe über Jahre: «Ich ha di lieb!» Sie haben das so genossen. Der Körperkontakt (umarmen) ist sehr wichtig, auch wenn sie älter werden. Das hat sich bis auf den heutigen Tag durchgezogen, jetzt natürlich auf eine andere Weise als früher.
2. Lasse dein Kind los in Gottes Hand! Ich möchte das hier unbedingt erwähnen, da dies mein Geheimnis war und immer noch ist zu einer gesunden Beziehung zu meinen Kindern. Was ich damit sagen möchte, ist, das Kind emotional nicht an sich zu binden, es nicht «in Besitz zu nehmen».
3. Bevorzuge keines deiner Kinder, egal ob das eine oder andere pflegeleichter oder schwieriger ist. Denke daran, wie jedes deiner Kinder vom Schöpfer wunderbar und einzigartig erschaffen wurde. Die Kinder spüren sofort, wenn eines benachteiligt wird. Ergreife nie Partei. Das Kind kann dadurch sehr verletzt werden, was zu Identitätsproblemen führen kann. Dann wird das Kind auf abnormale Art und Weise die Aufmerksam-

keit auf sich lenken wollen. Wenn die Kinder in das Pubertätsalter kommen und die Zeit anbricht, wo die «Eltern schwieriger» werden, und oft nicht verstehen, was das Kind gerade durchmacht, müssen wir Eltern lernen, Verständnis zu zeigen, sensibilisiert sein und das Kind lieben wie nie zuvor. Wir Eltern haben viele Fehler gemacht, aber auch daraus gelernt. Wir haben unsere Kinder um Vergebung gebeten und wissen, dass auch Jesus uns vergeben hat.

4. Unterstütze dein Kind immer, ermutige es in guten wie in schlechten Zeiten. Arbeite hart daran, dein Kind immer da abzuholen, wo es gerade steht. Weise es nie zurück, wenn es dir eine Not anvertrauen möchte. Stelle sicher, dass du die Person bist, die es nie abweist, weil du vielleicht gerade nicht gut drauf bist. Die Kinder und Jugendlichen haben es heutzutage nicht leicht. Vermittle dem Kind Sicherheit, eine Oase des Friedens und der Geborgenheit. Verbringe viel Zeit mit deinen Kindern. Um deine Kinder zu schützen, wähle immer gut aus, mit welchen Kindern sie spielen oder etwas zusammen unternehmen.
5. Im Zeitalter der modernen Technologie und der sozialen Medien sollten wir besonders darauf achten, dass die Kinder nicht vereinsamen, weil sie zu viel Zeit am Handy, am Laptop, am Fernseher oder mit Games verbringen. Bitte verstehe mich richtig. Ich bin kein Gegner der modernen Technologie. Ich bin dafür sehr dankbar und mache auch selber gern Gebrauch davon. Aber es ist die Aufgabe der Eltern zu kontrollieren, womit

und mit wem sich die Kinder aufhalten, und dies nicht einfach dem Zufall zu überlassen. Deshalb ist es so wichtig, dass die Kinder einem Hobby nachgehen, einer sinnvollen Freizeitbeschäftigung, einer dem Kind entsprechenden Sportart oder zum Beispiel ein Musikinstrument erlernen. Wir können auch Spieleabende in den Wochenablauf einbauen. Solche Dinge helfen dabei, die Alltagsschwierigkeiten zu überwinden. Es ist ebenfalls wichtig, dass das Kind Bestätigung bekommt in dem, was es tut, damit sein Selbstwertgefühl gestärkt wird.

Erlebnisse

Von einigen Erlebnissen erzählen unsere Söhne und Töchter heute noch, obwohl sie jetzt älter sind. Gerade kürzlich erwähnten unsere Kinder ein Lied, das ihr Vater Peter selbst komponiert hatte, und das zu einem Familien-Hit wurde. Wir sassen jeweils als ganze Familie in der Stube. Peter spielte die Gitarre und die Kinder sangen aus voller Kehle und mit ganzem Herzen mit.

Als Familie hatten wir sehr stark das Bedürfnis, anderen Menschen mit dem Evangelium zu begegnen. Wenn wir am Singen waren, öffneten die Kinder die Fenster, sodass das Lob Gottes nach draussen auf die Strasse gelangen konnte. Wir wohnten direkt an der Hauptstrasse. Die Menschen blieben oftmals stehen und die Nachbarn öffneten ihre Fenster, um mitzuhören.

Das Lied ging so:

«I freue mi jede Tag neu
i freue mi jede Tag neu
denn du bisch mini Hoffnig
ellei oohh min Jesus»

Lobpreis und Anbetung mit der Familie ist ein mächtiger Segen!

Kapitel 7:
Familiengemeinschaft

Das Thema Familie ist ein sehr umfangreiches Thema. Als kinderliebendes Ehepaar gab es für uns keinen Zweifel, uns den Kinderwunsch von Gott erfüllen zu lassen.

Kinder kriegen funktioniert oft nicht auf Kommando. Wir glauben, dass es für alles, was im Leben geschieht, einen göttlichen Zeitpunkt gibt, wenn wir nach den Grundsätzen von Gottes Wort leben. Wir mussten uns einige Zeit gedulden und vertrauen, dass Gott den richtigen Zeitpunkt vorbereitet, wann unser erstes Kind das Licht der Welt erblicken sollte.

Die Vorfreude war riesig, als es soweit war und meine Menstruation ausblieb. Eine spannende Zeit der Erwartung begann. Ich nähte für den Stubenwagen, in dem ich selbst einmal lag, ein «Vorhängli» aus zartem, weissem Material. Ich konnte es liebevoll vorbereiten. Jeden Tag bis zur Geburt mussten Peter und ich es bestaunen und stellten uns vor, dass eines Tages unser Liebling darin liegen wird.

Dieses Staunen, diese Liebe, die Begeisterung und Dankbarkeit wiederholten sich bei jedem weiteren Kind.

Die Freude und die Überwältigung war unvorstellbar gross, als wir am 5. November 1980 unsere Tochter Beatrice zum ersten Mal in unseren Armen halten durften. Wir waren dem Herrn unendlich dankbar für das Wunder des Lebens und dass er uns so reich beschenkt hatte. Als die Hebamme mir das Baby auf die Brust legte, um den Körperkontakt herzustellen, war ich überglücklich. Die Geborgenheit, die es im Mutterleib umgab, wurde abrupt beendet, als es durch den Geburtskanal in die kalte Welt kam. Als stolze Eltern spazierten wir später durch die Stadt mit dem einzigartigsten Baby der Welt und dem schönsten und modernsten Kinderwagen, den es damals auf dem Markt gab.

Beim ersten Kind begibst du dich in Neuland, in eine Ungewissheit, wie sich das Kleine wohl entwickeln wird. Die ersten Gedanken, die sich frischgebackene Eltern machen, kommen hoch. Kann ich mein Kind stillen? Wie lange soll ich es stillen? Wie viele Wochen oder Monate wird es dauern, bis es nachts durchschläft? So tauchen die ersten kleinen «Sörglein» auf.

Eine sehr aufregende Zeit war damit für uns angebrochen, ein komplett neuer Alltag, verbunden mit einer unaussprechlichen Freude und Glück.

Nicht mehr essbar

Mein kleiner Göttibueb war ungefähr vier Jahre alt und wollte mit seinem kleinen zweieinhalbjährigen

Bruder bei seinem Gotti Ferien verbringen. An einem Morgen fuhr ich mit den beiden Jungs mit dem Bus in die Stadt, um ihr Grossmuetti auf dem Markt an ihrem Blumenstand zu besuchen. Vorab bereitete ich das Fleisch vor, sodass es bei kleinem Feuer vor sich hin köcheln konnte, dass wir bald essen konnten, wenn wir zurückkehrten. Oje, zu Hause erwartete uns eine schöne Bescherung: Das Fleisch war so fest eingekocht und komplett verkohlt, dass es nicht mehr essbar war.

Wir hatten nichts anderes zur Verfügung als Kressesalat und kalte Milch. Die brachten wir auf den Tisch – mein Göttibueb Joël und sein Bruder Philipp reden noch heute davon, wenn wir über alte Zeiten reden. Es muss sie sehr beeindruckt haben.

Raus aus der Sicherheit

Peter hatte eine sichere Anstellung bei der Schweizerischen Post in Bern. Im Laufe der Zeit wuchs der Wunsch in ihm nach einer beruflichen Veränderung. Er betete zu Gott dieses einfache Gebet: «Herr, wenn ich mich beruflich verändern soll, sende bitte als Zeichen jemanden, der unsere jetzige Wohnung, die wir bei der Heirat bezogen haben, übernehmen möchte.»

Zwei Tage später fragte ein Arbeitskollege Peter: «Wüsstest du von einer freien Wohnung in dem Quartier, wo du wohnst?» Innerlich triumphierte Peter schon und dachte: «Bingo!» Daraufhin erwiderte er ihm: «Ja, unsere Wohnung wird frei.» Die Wohnung entsprach genau seinen Vorstellungen. Er übernahm die kürzlich neu angefertigten Vorhänge und auch einiges an Inventar.

Dieser Entscheid bedeutete für uns als kleine Familie einen riesigen Glaubensschritt in die Ungewissheit. Zu dieser Zeit war weder eine andere Wohnung noch eine andere Arbeitsstelle in Aussicht. Weil aber Gott so klar zu Peter gesprochen hatte, gab es keinen Zweifel an Gottes Führung. Wir waren getrost im Vertrauen auf ihn.

Peter hatte das Bedürfnis, aus seiner Komfortzone auszubrechen. Er sah seinen Auftrag eher darin, im sozialen Bereich zu arbeiten, um Menschen zu dienen, denen es nicht so gut geht. Es dauerte nicht lange, genauer gesagt nur drei Wochen, bis wir einen Telefonanruf von meiner früheren Chefin erhielten, bei der ich vor unserer Hochzeit gearbeitet hatte. Sie war diejenige, die für unsere Hochzeit den aufwendigen Apéro organisiert und gespendet hatte. Sie habe ein anderes Altersheim übernommen und brauche für den Betrieb eine Köchin und einen Hauswart. Sie wollte uns gerne in ihrem Betrieb als neue Mitarbeiter begrüssen. Wow!

Wie immer beteten Peter und ich darüber, dass Gottes Wille geschehen möge, weil eine riesige Veränderung auf uns zukommen würde. Wir empfingen Frieden in unseren Herzen und entschlossen uns dazu, die Herausforderung anzunehmen.

Innerhalb von vier Monaten zogen wir um. Eine schöne Vier-Zimmer-Wohnung wartete auf uns. Peter hatte bei der Post seinen letzten Arbeitstag. Er verabschiedete sich von seinen Kollegen und unterhielt sich mit ihnen über seine neue Aufgabe, die er bald in einem Altersheim übernehmen werde. Ein Kollege spottete darüber. Im selben Moment ermutigte der Heilige Geist Peter und sagte ihm: «Wer zuletzt lacht, lacht am besten.» Am darauffolgenden Sonntag besuchten wir den Gottesdienst. Der Prediger machte während der Predigt exakt dieselbe Aussage: «Wer zuletzt lacht, lacht am besten.» Für Peter war dies nochmals eine Bestätigung, den sicheren Arbeitsort bei der Post zu verlassen und sich ganz in die Hände Gottes fallen zu lassen.

Station 1: Die Altersresidenz

Wir waren uns vielleicht zu wenig bewusst, was da gerade auf uns zukommen würde. Doch es war der Wille Gottes.

Auf der einen Seite war die Chefin eine aufmerksame und liebevolle Person. Auf der anderen Seite war sie auch sehr bestimmt und konnte auch harte Charakterzüge zeigen. Wir waren soeben umgezogen und hatten unser neues Zuhause so schön wie möglich eingerichtet. Alles ging Schlag auf Schlag.

Am ersten Arbeitstag musste ich um 7.30 Uhr in der Küche startbereit sein, um zu übernehmen. Es waren schliesslich ca. 50 Pensionäre, die auf ein gutes Mittagessen warteten. Ich war schockiert über das Verhalten meiner Chefin. Ich konnte es nicht fassen, dass sie dieselbe Person sein sollte, die ich von früher kannte.

Wir hatten doch ein sechs Monate altes Baby, das ich trotz der Arbeit zu versorgen hatte – aber dafür gab es keine Chance. Die Chefin sagte zu Peter: «Hier in diesem Zimmer kannst du das Kind ins Bett legen. Um 11.30 Uhr kannst du dir 30 Minuten Zeit nehmen, dem Kind das Essen zu geben. So wird es jeden Tag sein. In der Zwischenzeit werde ich dir Arbeiten zuweisen, die du erledigen musst.» Es drückte mir fast das Herz ab. Als Peter mit ihr das Gespräch suchte, um die Zustände zu klären, meinte sie, ich hätte die Nabelschnur noch nicht vom Kind getrennt. (Erinnerst du dich noch, als ich im Kapitel «Mutter sein mit Leidenschaft» erwähnte, Kinder schon im Mutterleib loszulassen?)

Bald haben wir bemerkt, dass es sich um ein geistliches Problem handelte. Ich war nicht mehr dieselbe Rosemary, die sie aus der Zeit kannte, bevor ich heiratete. Wir waren nicht mehr auf derselben geistlichen Ebene. In ihrem Leben breiteten sich Eifersucht und Neid aus. Die Pensionäre mochten uns sehr. Auch unser Baby Beatrice hatten sie schnell in ihre Herzen eingeschlossen. Das war der Chefin ein Dorn im Auge.

Schwere Zeiten

Jedes zweite Wochenende hatten wir die alleinige Verantwortung in der Altersresidenz und sorgten für die betagten Mitmenschen. Wir genossen diese Zeiten zusammen mit den Pensionären. Das gab uns den Mut und den Kick, die wir brauchten, um vorwärts zu gehen. Wir merkten bald, dass wir als kleine Familie diese Zustände nicht allzu lange durchhalten könnten. Jeden Morgen, bevor wir zur Arbeit fuhren, musste ich erbrechen. Es war schlimmer als zu Beginn einer Schwangerschaft, weil die Belastung durch diese Situation so immens schwer zu ertragen war. Auch Peter wurde respektlos behandelt. Er wurde gesundheitlich angegriffen und musste sich in ärztliche Behandlung begeben.

Was uns vorerst noch zurückhielt, dieses Zelt abzubrechen, waren die Pensionäre, die uns so ans Herz gewachsen waren.

Dies war eine sehr schmerzhafte Erfahrung. Nach drei Monaten kündigten wir schliesslich unsere Arbeitsstellen. Nachträglich könnte man sich fragen, warum es so weit kommen musste. Wir sahen dann, dass Gott diese Situation als Sprungbrett benutzte, uns an den Ort zu bringen, an dem unsere wirkliche Berufung war. Diese harte Zeit bereitete uns auf die nächste Aufgabe vor.

Trotz der negativen Erfahrungen konnte Peter eine erfolgreiche Ausbildung absolvieren (Arbeit mit Betagten im Heim). Zusätzlich absolvierte er bei der AKAD in Zürich einen Fernkurs «Einführung in die soziale Arbeit». In der Zwischenzeit konnte er kurzfristig bei der Securitas als Nachtwächter einen gut bezahlten Job finden, da er bereits in ihrer Datenbank angelegt war. Ich konnte einen Job als Zeitungsausträgerin annehmen. So kamen wir finanziell über die Runden.

Unsere Familie konnte zur Ruhe kommen. Endlich konnten wir unsere Tochter geniessen und ihr zurückgeben, was sie in dieser schwierigen Zeit entbehren musste. In diese Zeit wurde ich zu unserer Freude schwanger mit unserer zweiten Tochter.

Wie sollte es weitergehen? Wir befanden uns in einer Durchgangsphase. Unsere Gebete stiegen zum Himmel empor. «Herr führe uns auf dem richtigen Weg.» Nun geschah wieder alles Schlag auf Schlag. Wir hörten im Februar von meinem Onkel, der Kenntnis von unserer Situation hatte, dass in Schaffhausen im Männerheim ein Heimleiter-Ehepaar gesucht wurde. Wir sollten uns unbedingt bewerben. Wir nahmen diesen Vorschlag ernst, beteten darüber und bewarben uns.

Am 31. März schickten wir die Bewerbung ab. Im selben Moment, als Peter den Brief in den Briefkasten warf, bekam er die innere Gewissheit, dass dies unsere neue Arbeitsstelle sein würde. Es war Spannung pur ... Wir bekamen die Anstellung! Preis sei dem Herrn! Er hatte einmal mehr unsere Gebete erhört. Inzwischen war ein Jahr vergangen, seitdem wir die Stellen im Altersheim angenommen hatten.

Station 2: Das Männerheim

Einen Monat später zogen wir dann vom Kanton Aargau um nach Schaffhausen. Der Einzug ins Männerheim lief gut, und wir konnten uns ein neues Zuhause schaffen.

Das Männerheim war eine Institution des Blauen Kreuzes, das 17 Männer zur Beherbergung aufnehmen konnte. Die meisten von ihnen waren Alkoholiker, Drogenabhängige, psychisch Kranke und sonst verwahrloste Männer.

Die Tätigkeitsbereiche von Peter waren die Gesamtleitung des Heims, praktische Arbeitsbereiche, Küchenchef, Betreuer der Pensionäre, Buchhalter, Administration und Gärtner. In diesem Zusammenhang kam die kaufmännische Ausbildung zum Tragen, die Peter Jahre zuvor absolviert hatte. Ausserdem hatte er die Möglichkeit, berufsbegleitend die Ausbildung zum Heimleiter zu machen. So konnte er Praxis wie auch Theorie gleichzeitig anwenden. Das war ein grosser Vorteil, und er konnte schnell in die neue Tätigkeit hineinwachsen.

In meiner Verantwortung lag die Pflege des Hauses, die Reinigung, die Wäscherei und der Telefondienst. Für die Reinigung und die Wäscherei, später auch in der Küche, hatten wir zur Entlastung von Peter weitere Mitarbeiter, denn die administrativen Arbeiten nahmen immer mehr zu.

Die Pensionäre wurden in die täglichen Aktivitäten einbezogen wie Tische decken und abräumen, kleine Einkäufe tätigen oder auch Umgebungsarbeiten. Einige Pensionäre, die noch in relativ guter Verfassung waren, konnten ausserhalb des Hauses kleine Jobs erledigen wie zum Beispiel Zeitungen austragen.

Liebe verändert Menschen

Es war keine leichte Aufgabe, den Männern zur Beschäftigung eine gesunde Tagesstruktur zu bieten. Peter ist es gelungen, das Projekt einer Werkstatteinrichtung auszuarbeiten, wo die Männer eine sinnvolle und produktive Arbeit verrichten konnten. Er konnte das Projekt den Behörden vorstellen, und es wurde genehmigt. Das war ein Riesenerfolg und stimmte ihn froh und dankbar.

Am 14. Dezember 1982 wurde unsere zweite Tochter Andrea geboren. Wir wurden erneut überglückliche gesegnete Eltern. Beim zweiten Kind läuft vieles einfacher, da man schon eine gewisse Übung hat. Unsere Tochter Beatrice freute sich über ihr Schwesterchen. Kinder zu kriegen war ein Segen in dieser Zeit, ganz besonders inmitten dieser Männer, die kein so schönes Leben hatten. Sie durften miterleben, wie neues Leben entstand.

Die Männer waren sehr sensibel und sprachen auf familiäre Ereignisse sehr positiv an, manchmal sogar unter Tränen. Wir sollten es in unseren Begegnungen mit solchen Menschen nie wagen zu denken, sie seien skrupellos. Ganz im Gegenteil, es ist ihre Seele, die Heilung braucht. Diese Hilfestellung durften wir weitgehend bieten. Solchen Menschen sollte man keine frommen Worte um den Kopf schlagen, sondern ihnen mit Liebe begegnen und ihnen zeigen, wie wertvoll sie sind, egal welchen Mist sie vielleicht gebaut haben. Die Liebe, so wie sie in der Bibel beschrieben wird, ist das, was die Menschen brauchen. Allein durch die Liebe Gottes können Menschen verändert werden.

Ein Highlight für die Männer, aber auch für unsere Familie und die Mitarbeiter, waren die jährlichen Ausflüge mit der ganzen Belegschaft. Wir fuhren zum Beispiel mit einem gemieteten Bus nach Montreux am Genfer See. Nach einer langen Fahrt durften wir in einem gediegenen Restaurant direkt am See das Mittagessen geniessen. Alle waren glücklich und zufrieden. Anschliessend gab es eine Schifffahrt auf dem Genfer See. Solche Ausflüge dienten dazu, vom Alltag Abstand zu gewinnen, und die persönlichen Kontakte untereinander zu verbessern und eine gute, ungezwungene Gemeinschaft zu pflegen.

Das Drei-Mädel-Haus

Die Familie hatte aber nach wie vor, trotz der Erfüllung, die wir im Dienst an den Schwächsten fanden,

den höchsten Stellenwert in unserem Leben. So durften wir am 4. Oktober 1984 die Geburt unserer dritten Tochter Nathalie bekanntgeben. Nun war das «Drei-Mädel-Haus» perfekt. Gott hatte uns wunderbare Kinder geschenkt. Bereits in ihren frühen Jahren durften sie für randständige Menschen ein Segen sein.

Fünf Monate nach der Geburt von Nathalie stellte Peter fest, als er ihr die Kleider anzog, dass sich ihr linkes Bein nicht richtig bewegte. Daraufhin suchten wir den Arzt auf. Durch eine Röntgenuntersuchung stellte der Arzt eine Hüftluxation fest, das heisst, dass sich der Kopf des Oberschenkelknochens ausserhalb der Hüftpfanne befand. Um das zu korrigieren, musste sie für mehrere Wochen im Spital bleiben. Ich verbrachte beinahe jeden Tag und jede Nacht im Spital, um mich um Nathalie zu kümmern.

Ihr ganzer Körper wurde eingegipst. Das war eine sehr schlimme Zeit für uns. Nathalie musste bereits als zartes Baby solch schwere Strapazen über sich ergehen lassen. Den Gips musste sie für sechs Monate tragen. Ich kann mich noch gut daran erinnern, wie schwierig das Herumtragen war. Windeln wechseln war sehr schmerzhaft, weil sie durch den Gips wunde Stellen hatte. Tag und Nacht musste sie in derselben Stellung liegen. Wir Eltern denken nicht gern an diese Zeiten zurück. Mein Mutterherz schmerzte oft, als ich mit ansehen musste, wie unsere kleine Maus leiden musste. Am Ende ging aber alles gut aus. Wir sind tief davon überzeugt, dass die heilenden Hände von Jesus Nathalie geheilt haben und sie deswegen keinen Schaden davongetragen hat.

«Aber Jesus sagte: Lasst doch die Kinder zu mir kommen, und hindert sie nicht daran! Das Himmelreich ist ja gerade für solche wie sie bestimmt» (Matthäus 19,14).

Unsere gemeinsamen Familienzeiten empfanden wir als sehr wichtig. Vor allem aus dem Grund, weil wir im selben Haus wohnten wie die Pensionäre und wir ihnen Tag und Nacht zur Verfügung stehen mussten. Besondere Momente waren unsere Ferienabenteuer mit der Familie. Wir liebten es, mit unseren Töchtern in die Berge zu fahren, um abzuschalten. Dies taten wir zweimal pro Jahr. Meistens fuhren wir ins Bündnerland nach Klosters und Davos.

Unser Einfühlungsvermögen, die Anerkennung und die Wertschätzung, die wir den Männern erwiesen, zahlte sich immer wieder aus. Sie haben sehr positiv auf unsere Kinder reagiert. Sie waren die kleinen Sonnenscheine, die Licht in ihre Leben brachten.

Alle Vögel ...

Unsere älteste Tochter Beatrice war ungefähr sechs Jahre alt und durfte schon beim Essen servieren mithelfen. Frisch und fröhlich lief sie in den Speisesaal und begann aus voller Kehle zu singen: «Alle Vögel sind schon da», ohne zu verstehen, wie dieser Ausdruck zweideutig verstanden werden konnte. Die Männer mussten von Herzen lachen und klatschten für Beatrice. Sie nahmen es nicht persönlich und sahen sich selbst nicht als mehr oder weniger komische Vögel.

Andrea hatte als Kind ganz dunkle Augen. Ein Pensionär begrüsste sie jeweils mit «Kirschenäuglein».

Andrea, damals zwei oder drei Jahre alt, begrüsste ihn mit «Pfeifen-Werner», denn sein Name war Werner und er hatte immer eine Pfeife im Mund.

Für ein Ehepaar, das in Verantwortung steht, ist es umso wichtiger gemeinsame Zeiten zu verbringen. So entschlossen wir uns, für eine Woche ganz alleine nach Spanien zu verreisen. Es war eine wunderbare Segenszeit. Wir genossen den Strand, gutes Essen, Faulenzen und einfach alleine zu sein.

Meine Eltern erklärten sich bereit, in der Zwischenzeit auf unsere drei Kinder aufzupassen.

Wieder zurück zu Hause klingelten wir an der Türe, und unsere jüngste Tochter Nathalie, damals zwei Jahre alt, öffnete. Wir waren im Begriff, sie zu begrüssen, aber ehe wir das konnten, starrte sie uns an: «He, wer seid ihr? Ich kenne euch nicht!», und schlug die Türe zu. Es dauerte ein paar Stunden, bis Nathalie uns wiedererkannte. Sie sass lieber bei Grossvati auf dem Schoss.

Unsere Aufgabe als Heimleiter erfüllte uns sehr. Sie war ein Segen für die ganze Familie. Wir danken Gott für seine Führung, seine Hilfe und dass wir vielen Menschen in all den Jahren ein wenig Licht in ihren düsteren Alltag säen durften. Als wir innerlich spürten, dass unsere Zeit abgelaufen war, und wir den Platz einem anderen Ehepaar freigeben sollten, schalteten wir auf der Suche nach einer neuen Herausforderung ein Inserat. Innert weniger Tage erhielten wir einen Anruf. Die Person am anderen Ende meldete sich bei uns mit einem Hilfeschrei.

Station 3: Die Wohngemeinschaft

Wir fühlten uns durch den Heiligen Geist gedrängt, noch am selben Tag dorthin zu fahren, um einen Eindruck von der Situation zu erhalten. Es ging um eine sozialtherapeutische Wohngemeinschaft.

Die Zeit drängte, denn die Not war gross. Wir trafen ein riesiges Tohuwabohu an. Wir konnten nicht widerstehen und die Leiter im Stich lassen, obwohl wir allen Grund dazu gehabt hätten. So sind wir ins kalte Wasser gesprungen.

Eine Wohnung konnten wir uns nicht leisten, weil uns schon beim ersten Gespräch mitgeteilt wurde, dass sie nicht in der Lage wären, uns Lohn zu zahlen. Sie könnten uns lediglich einen kleinen Betrag geben, um die anfallenden Rechnungen zu begleichen, da sie selbst in einer finanziell sehr schwierigen Situation waren.

Geistlicher Kampf

Wie sollten wir es schaffen, ohne Einkommen eine fünfköpfige Familie durchzubringen? Für uns wurde bald klar, dass es hier um mehr ging als nur um blosse praktische Unterstützung. Wir befanden uns vielmehr in einem geistlichen Kampf. Im Gebet zeigte uns Gott durch den Heiligen Geist, dass diese WG aufgelöst werden musste, und dass dies der eigentliche Grund war, warum Gott uns dorthin geführt hatte.

Vor allem unsere älteste Tochter Beatrice litt unter dieser Situation, da sie in der zweiten Klasse war und innerhalb von einem Jahr die Schule viermal wechseln musste. Sie war aber sehr tapfer und hat durchgehalten.

Die Unterkunft, die wir beziehen konnten, war ein kleines Zimmer, in dem gerade fünf Matratzen Platz fanden. Sowohl beim Essen als auch in der Freizeit waren wir alle zusammen. Das Badezimmer teilten wir mit den WG-Bewohnern.

Unseren Hausrat mussten wir bei einem Transportunternehmen einstellen. Innert drei Monaten wurde die WG aufgelöst. Die WG-Bewohner konnten an andere Wohngemeinschaften vermittelt werden, die ihren Bedürfnissen besser entsprachen. Es war unser Gebet, dass es allen Teilnehmern bald besser gehen würde, sodass sie auf eigenen Füssen stehen und ein würdiges Leben führen könnten.

Dieses Abenteuer konnten wir nur eingehen, weil wir wussten, dass Gott mit uns war. Eine WG-Bewohnerin brachte in dieser Zeit ein gesundes Baby zur Welt und es war mein grosses Privileg, dass ich ihr während der Geburt zur Seite stehen durfte. Wir preisen Gott dafür.

Der Vater dieser jungen Mutter überwies uns als Dankeschön für die geleisteten Dienste einen Betrag von 15'000 Franken auf unser Bankkonto. Gott war immer unser Versorger. Er hat uns nie im Stich gelassen.

Station 4: Weiter in den Kanton Bern

Als Familie zogen wir danach weiter in den Kanton Bern. Manch einer fragt sich vielleicht, wie denn so etwas in der heutigen Zeit möglich ist. Genau diese Frage stellten wir uns damals auch.

So etwas kann man nur erzählen, wenn man es am eigenen Leib erfahren hat. In den vergangenen

Jahren waren wir auf viel Unverständnis, Ablehnung und Kritik gestossen. Viele hielten uns tatsächlich für verrückt. Es war genauso, wie es von Cindy Jacobs im Januar 2020 in der New International Church in Biel prophezeit worden ist. Die Prophetie war folgende: «Wir erlebten herzzerbrechende Situationen in unseren Leben. Die Leute hielten uns für verrückt. Gott ist daran, alles wiederherzustellen und zurückzuerstatten.» Aber durch das tiefe Bewusstsein und die Gewissheit darin, wie sehr Gott uns liebt, und dass er Schritt für Schritt an unserer Seite geht, waren wir in der Lage, diese Zeiten durchzustehen. Das Wort aus Jesaja 28,29 hat mich über viele Jahre begleitet.

«Des Herrn Rat ist wunderbar und er führt es herrlich hinaus.»

Die Söhne

Familienplanung war kein Thema mehr für uns; damit hatten wir abgeschlossen. Doch als sich die Zeiten etwas beruhigten, wuchs in Peter und mir unabhängig voneinander der Wunsch nach einem weiteren Kind. Kinder sind eine Gabe des Herrn. Jedes einzelne unserer Kinder ist ein Wunschkind und im Zeitplan Gottes geboren worden. Am 8. Juni 1989 erblickte Manuel das Licht der Welt.

Bei Gott gibt es keinen Zufall, nur einen göttlichen Zeitplan. Gott hat alle unsere Gebete erhört. Das Haus, in dem wir mit unseren vier Kindern leben durften, war perfekt auf unsere Familie zugeschnitten. Es stand direkt am Bach, umgeben von Wiesen, Bäumen, Blumen und einem Gemüsegarten. Die

Kinder hatten ihren eigenen Spielplatz mit Schaukeln und Sandkasten. Im Sommer konnten sie im Wasser plantschen und im Winter Ski fahren. Das alles auf dem eigenen Grundstück. Für Schlechtwettertage hatten wir einen grossen Schopf, in dem Manuel das für unsere Heizung benötigte Holz zersägen konnte. Dies war seine Leidenschaft als kleiner Junge.

Die Haustiere, wir hatten Kaninchen, Meerschweinchen und Vögel, gehörten auch zur Familie. Es war sehr lebendig bei uns. Über mehrere Jahre wohnten zusätzlich zu unseren eigenen Kindern drei Tagespflegekinder in unserer Familie. Peter hatte die Pflegekinder in seiner Familienkarte zum GA «General Abonnement» eintragen lassen, damit sie zu den gleichen Konditionen wie unsere Kinder fahren konnten, wenn er mit allen Kindern mit dem Zug Reisen unternahm. Einmal, als sie eine Reise unternahmen, meinte der Kondukteur, acht so friedliche Kinder habe er noch nie gesehen. Wir erlebten allerlei Abenteuer.

Ich hatte das Privileg, meine Leidenschaft als Mutter in vollen Zügen ausleben zu können. Nach verschiedenen Engpässen und einer Durststrecke durch Arbeitslosigkeit konnte Peter wieder eine Vollzeitarbeitsstelle annehmen und unser Einkommen war gesichert. In Langenthal fanden wir eine geistliche Heimat in der Freien Christengemeinde.

Eines Sonntags, als wir mit der Familie den Gottesdienst besuchten, machte Peter eine aussergewöhnliche Erfahrung mit Jesus. Es geschah, während der Pastor predigte. Plötzlich kam ein kleiner Bub von hinten. Er war vielleicht anderthalb Jahre alt und stellte sich vor Peter hin und streckte seine kleinen

Ärmchen zu ihm empor. Damit wollte er sagen: Nimm mich auf deinen Schoss. Als Peter ihn emporhob, sprach der Heilige Geist zu ihm: «Du wirst noch einen Sohn bekommen.» Danach lief das Kind zurück zu seinen Eltern. Das Kind und seine Eltern hatten wir übrigens zuvor nie und auch danach nicht mehr gesehen. Sie kamen nur ein einziges Mal als Besucher in den Gottesdienst.

Das war ein Wunder. Wow! Und genauso kam es. Gott ist und war und wird ein wunderwirkender Gott bleiben. Am 20. Dezember 1990 wurde unser jüngstes Kind David geboren. Unsere Familie war jetzt vollständig.

Der Kindergarten und die Schule nahmen ihren Lauf. Das Schulhaus lag gegenüber von unserem Haus, somit hatten die Kinder einen kurzen Schulweg. Sie hatten aber keinen leichten Stand in der Schule. Sie wurden oft gehänselt wegen unseres radikalen Glaubens an Jesus Christus. Im Winter haben die Schulkinder zum Beispiel während der Pause unser Haus mit Schneebällen beworfen und sogar Glasscheiben eingeschlagen. Am Auto hatten wir einen «Ichthys»-Fisch-Aufkleber. So wurden unsere Kinder «Fischli» genannt. Wir haben unseren Glauben an Jesus gelebt und uns öffentlich zu ihm bekannt. Es gab einige Christen im Dorf, die hinter uns standen und uns unterstützten, aber es gab auch viele Konflikte, die für die Kinder nicht einfach zu ertragen waren.

Station 5: Freizeit- und Ferienerlebnisse

Die Ferien mit den Kindern verbrachten wir im Sommer weiterhin oft in den Bündner Bergen.

Die längste Wanderung

Die Berge befanden unweit des Ferienhauses und konnten leicht erreicht werden. In der Freizeit unternahmen wir viele Wanderungen. Ein Tag, den keines unserer Familienmitglieder jemals vergessen wird, ist der mit unserer Wanderung von Parpan nach Arosa. Die Kinder waren inzwischen sechs, siebeneinhalb, zwölf, vierzehn und sechzehn Jahre alt. Sie liebten das Wandern. Je steiler und höher sie aufsteigen durften, desto besser und grösser war die Motivation. Der Weg führte direkt von unserem Ferienhaus aus hinauf bis zum «Urdenfürrgli», dem höchsten Punkt, bevor es dann hinunter nach Arosa ging. Wir hatten Proviant dabei für den ganzen Tag sowie einen Rucksack mit Notfall-Artikeln und Verbandmaterial, das wir glücklicherweise nicht benötigten. Als siebenköpfige Gruppe wanderten wir den Berg hoch. Zuvorderst Bergführer Papa, zuhinterst Schlusslicht Mama, dazwischen die Gipfelstürmer, unsere fünf Kinder. Vor dem Abmarsch gab der Bergführer jeweils die Anweisungen durch, wie wir uns auf der Wanderung zu verhalten hatten. Wir marschierten um neun Uhr los, die angegebene Marschzeit betrug sechs Stunden.

Wir kamen relativ gut voran. Es zeigte sich aber bald, dass wir mit den Kindern viel mehr Zeit einrechnen mussten. Allein der Aufstieg dauerte ca. sechs Stunden mit den verschiedenen Zwischenstopps und dem Auftanken neuer Energie beim Picknick. Wir hatten ursprünglich geplant, vom Berggipfel aus die Sesselbahn zu benutzen, um ins Tal nach Arosa herunterzufahren. Wir bemerkten aber, wie die Zeit immer knapper wurde. Am Ende hatten wir die letzte Bahn verpasst, wenn auch nur um eine halbe Stunde. So legten wir nochmals eine rechte Pause ein und besprachen die nächste Etappe, die es zu überwinden galt. Die Enttäuschung bei den Kindern war gross, als wir ihnen mitteilen mussten, dass die Bahn nicht mehr fahre, und wir zu Fuss weitergehen müssen. Im Restaurant, welches noch offen war, bekamen sie eine Belohnung für das gute Verhalten und den Durchhaltewillen bis dahin.

Nach der Stärkung machten wir uns auf den Weg Richtung Arosa. Die Kinder waren nun erneut motiviert weiterzugehen, weil es nun talwärts ging. Mehrere Stunden Fussmarsch lagen noch vor uns, die wir zu bewältigen hatten. Auf dem Weg kamen wir bei einem kleinen Kiosk vorbei, wo wir einen Halt einlegten und jedes Kind zur Erfrischung ein Eis geniessen konnte. Endlich beim Bahnhof in Arosa angekommen, waren wir alle überglücklich und sehr stolz, es geschafft zu haben. Mit dem Zug fuhren wir nach Chur und von dort mit dem Postauto nach Parpan. Von der Bushaltestelle hätten wir schliesslich nochmals eine Stunde zu Fuss gehen müssen bis zum Haus. Dies konnten wir den Kindern aber nicht mehr zumuten, sodass sich Peter alleine auf den einstündigen Fussmarsch begab, und uns schliesslich mit dem Auto sicher nach Hause chauffierte. Die Kinder waren erledigt von diesem erlebnisreichen Tag. Bei der Busstation legten wir die Decken, die wir mitgenommen hatten, auf den Boden, und sie schliefen alle vor Müdigkeit ein. Am Ende war es Mitternacht, als wir alle friedlich in unseren Betten lagen. Wir dankten Gott für seinen Schutz, seine Kraft und seinen Frieden.

Von diesem Erlebnis reden wir noch heute, wenn wir als Familie die «alten Zeiten» Revue passieren lassen.

Unter dem Schirm des Höchsten

Eines Tages wollten Andrea und Nathalie alleine eine kleine Wanderung unternehmen. Das war für uns Eltern in Ordnung. Wir vereinbarten, dass sie in spätestens zwei Stunden wieder zurück sein sollten. Um ca. 13 Uhr liefen sie los. Plötzlich fiel mir ein, dass wir ihnen keinen Proviant mitgeben hatten! Manuel, der kleine Bruder, meinte: «Wenn sie Hunger haben, können sie ja ‹Alpen-Pizza-Kuhfladen› essen ...»

Der Nachmittag ging vorüber. Es wurde Abend, und die Mädchen waren noch nicht zurück. Langsam wurde ich nachdenklich. Zusätzlich hatten wir auch noch ein Problem mit unserem Auto. Wir hatten nämlich versehentlich den Autoschlüssel im Auto eingeschlossen. So mussten wir den Pannendienst anrufen, um das Schloss zu öffnen.

Peter lief in der Zwischenzeit zu Fuss los, um die Mädchen zu suchen. Während er marschierte, hörte er ein Auto herbeifahren. Es war der Pannendienst. Der Mann im Auto fragte Peter nach der Familie Kocher, welche ein Problem mit ihrem Auto hätte.

Der Mann konnte Peter helfen bei der Suche nach unseren Kindern. Er hatte einen Feldstecher in seinem Auto dabei, und Peter konnte damit die Mädchen ganz oben auf dem Berg sichten. Er war bereits bis zum Churerjoch hochgelaufen und hatte die Leute auf der Bergstation informiert. Sie rieten Peter davon ab weiterzugehen. Das Berggebiet ist dermassen weitläufig, dass es keine Möglichkeit mehr gab für Peter beim Eindunkeln die Berge hochzuklettern.

Die Zeit lief uns davon, und es wurde immer dunkler. Der Mann von der Pannenhilfe kam mit Peter zurück zum Ferienhaus. Wir alarmierten die Polizei, welche schnell vor Ort war. Wir besprachen die Situation, und es wurde entschieden, dass sich die Bergrettungswache mit Hunden und Helikopter aufmachen sollte, um die Kinder zu suchen. Wir schrien zu Gott um Hilfe. Es war schon 21 Uhr und es war dunkel. Keine Spur von den Mädchen! Jede Minute kam uns wie eine Ewigkeit vor. Wir bangten um unsere Mädchen. Um 21.30 Uhr war die Polizei immer noch bei uns. Es war kurz davor, dass die Polizei dem Helikopter grünes Licht geben wollte loszufliegen. Plötzlich öffnete sich die Haustüre und wer stand dort? Es waren unsere Mädchen.

Alle waren überglücklich und dankbar, dass die verlorenen Kinder wieder nach Hause gefunden hatten. Sie standen unter Schock und erzählten uns von ihrer Abenteuerreise. Sie hatten nicht beabsichtigt, so weit zu gehen, aber sie hatten sich verlaufen und sich dadurch immer weiter vom Haus entfernt. Sie dachten sich schliesslich: «Wir müssen einfach hinunter Richtung Tal, egal wo wir letztendlich landen.» Ihre Hintern waren aufgekratzt und bluteten, weil sie auf dem Hosenboden die Felsblöcke heruntergerutscht waren. Ihre Handflächen waren aufgekratzt, weil sie sich beim steilen Abstieg an rauen Grashalmen festhalten mussten. Sie erzählten uns, wie sie eine Klippe überquert hatten und sich dabei in Todesangst befanden. Sie waren sich bewusst, wenn sie das nicht schafften, würden sie in die Tiefe stürzen und dabei umkommen.

Es war so unmissverständlich, dass die Engel Gottes sie über diese Klippe getragen hatten. Preis sei dem Herrn für seinen Schutz und seine Bewahrung.

«Wer unter dem Schirm des Höchsten sitzt und unter dem Schatten des Allmächtigen bleibt, der spricht zu dem HERRN: Meine Zuversicht und meine Burg, mein Gott, auf den ich hoffe. Denn er errettet dich vom Strick des Jägers und von der verderblichen Pest. Er wird dich mit seinen Fittichen decken, und Zuflucht wirst du haben unter seinen Flügeln. Seine Wahrheit ist Schirm und Schild, dass du nicht erschrecken musst vor dem Grauen der Nacht, vor dem Pfeil, der des Tages fliegt, vor der Pest, die im Finstern schleicht, vor der Seuche, die am Mittag Verderben bringt. Wenn auch tausend fallen zu deiner Seite und zehntausend zu deiner Rechten, so wird es doch dich nicht treffen. Ja, du wirst es mit eigenen Augen sehen und schauen, wie den Frevlern vergolten wird. Denn der HERR ist deine Zuversicht, der Höchste ist deine Zuflucht. Es wird dir kein Übel begegnen, und keine Plage wird sich deinem Hause nahen. Denn er hat seinen Engeln befohlen, dass sie dich behüten auf allen deinen Wegen, dass sie dich auf den Händen tragen und du deinen Fuss nicht an einen Stein stossest» (Psalm 91,1-12).

Sport

An den schulfreien Tagen besuchten wir im Winter oft das Hallenbad, im Sommer das Freibad, oder wir spielten Fussball. Die Töchter verbrachten ihre Freizeit eher mit Basteln, Monopoly spielen und waren mit Freundinnen zusammen. Alle Kinder sind Ski gefahren und Schlittschuh gelaufen. Wie erwähnt, hatten wir das Privileg eines grosszügigen Umschwungs um unser Haus, in dem wir wohnten.

Eine kleine Anekdote, die mich immer noch zum Schmunzeln bringt, ist folgende: Es war viel Schnee gefallen, und die Kinder waren draussen beim Skifahren. Ab und zu ging ich nach draussen, um nach ihnen zu schauen. Ich sah gerade, wie David, damals ca. vierjährig, dahersauste und sich zweimal überschlug. Wieder auf den Beinen und weiss eingepudert rief er mir voller Stolz zu: «Mami, ich kann mich schon umdrehen!». Das war so lustig und brachte uns alle zum Lachen.

Wie erwähnt wohnten wir gegenüber dem Schulhaus, wo auch der Sportplatz war. Manuel und David spielten leidenschaftlich gern Fussball. An einem Tag fragten sie, ob sie mit anderen Kindern Fussball spielen gehen dürften. Wir erlaubten es ihnen, weil diese körperlichen Aktivitäten für die Jungs sehr wichtig waren, um ihr Temperament unter Kontrolle zu halten. Wir warfen immer wieder einen Blick über die Strasse, um zu sehen, ob sie noch dort waren. An diesem Abend wollten wir sie bewusst nicht nach Hause holen, um zu sehen, wann sie von sich aus das Spiel beenden würden. In der Zwischenzeit gingen die anderen Kinder nach Hause und es dunkelte schon ein. Unsere Jungs spielten einfach weiter. Sie bekamen nicht genug; sie hatten eine enorme Ausdauer. Von sich aus trudelten sie dann um 22 Uhr zufrieden zu Hause ein. Sie hatten sechs Stunden lang ununterbrochen gespielt. Wir fragten sie, ob sie nicht nach Hause kommen wollten. Sie sagten, sie hätten nicht realisiert, wie die Zeit verstrichen war, und dass es Nacht geworden war. Sie waren so ins Spiel vertieft. Das war ihr Rekord. Wir Eltern amüsierten uns.

Unsere Töchter spielten auch gerne Fussball. Immer wieder spielten sie ein Match, Jungs gegen Mädchen, inklusive Papi.

Hinter dem Haus war ein Platz, auf dem die Kinder Unihockey spielen konnten. Eine weitere Freizeitbeschäftigung war das Velofahren mit der ganzen Familie. Für Manuel kam noch Kickboxen dazu, für David Karate.

Im Dorf wurden im Sommer Velotouren organisiert. Peter nahm zusammen mit Manuel an einer solchen teil. Der Junge war damals sechs Jahre alt. Nach erfolgreichem Absolvieren erhielten die Teilnehmer eine Medaille. Das war ein Erfolgserlebnis. Im folgenden Jahr wurde die Tour wieder organisiert. Peter und Manuel sattelten wieder ihre Velos, um daran teilzunehmen. Lustig war, dass Manuel dieses Jahr seine Medaille noch vor dem Start erhielt.

Aus Kindern werden Persönlichkeiten

Mit fünf Kindern erlebt man unglaublich spannende Geschichten. Im Laufe der Zeit entwickelten die Kinder immer mehr ihre Persönlichkeiten, jedes auf seine Weise. Das eine kommt besser durch die Pubertät, für das andere ist es schwieriger. Da muss ich ganz ehrlich sagen, es braucht sehr viel Gnade von Gott, dabei jedem gerecht zu werden.

Dieses Sprichwort beinhaltet sehr viel Wahrheit: «Eltern werden ist nicht schwer, Eltern sein dagegen sehr.»

Manche Herausforderung und schlaflose Nächte erlebten wir in der Schulzeit und mit der jeweiligen Berufswahl unserer Kinder. Schliesslich sollten sie später einmal selbstständig und unabhängig durchs Leben gehen können. Diese Entwicklungsjahre, so interessant und vielfältig sie auch sind, empfand ich als die schwierigsten und anspruchsvollsten Zeiten in der Erziehung. Wir Eltern konnten in diesen Prozessen ebenfalls manche Lektion lernen und unsere eigenen Prägungen erkennen, die sich dann in unseren Kindern widerspiegelten.

Wir sind nach wie vor sehr stolz auf unsere Töchter und Söhne. Keines von ihnen ist zu irgendeinem Zeitpunkt auf Abwege geraten. Wir sehen und können erleben, wie sie bis heute alle unter dem Schutz Gottes sind.

Familienzusammenhalt ist für jedes Familienmitglied wichtig. Wir sind füreinander da, in guten wie in schlechten Zeiten. Der Segen des Herrn ruht auf unserer Familie.

Kapitel 8: In Krankheiten getragen

«Keiner Waffe, die gegen dich bereitet wird, soll es gelingen, und jede Zunge, die sich zum Rechtsstreit gegen dich erhebt, sollst du schuldig sprechen. Das ist das Erbteil der Knechte des HERRN, und ihre Gerechtigkeit kommt von mir, spricht der HERR» (Jesaja 54,17).

Diagnose Krebs

«Bewahre mich Gott, denn ich vertraue auf dich» (Psalm 16,1).

Im Jahr 2003 erlebten wir einen sehr heissen Sommer. Die Temperaturen lagen weit über 30 Grad. Die meiste Zeit verbrachten wir im Schwimmbad. Gegen Ende des Sommers begann mich ein Muttermal, das ich an der Wade hatte, zu jucken. Von Tag zu Tag wurde es schlimmer und es verfärbte sich schwarz. Mir wurde bewusst, dass dies eine ernste Sache werden könnte und ich suchte den Arzt auf. Er meinte, es wäre eine bösartige Hautverfärbung, ein Melanom, also Hautkrebs.

Für mich brach eine Welt zusammen. Das Wort «Krebs» konnte ich bis zu dem Zeitpunkt nie aussprechen, weil damit eine unerklärliche lähmende Angst in mir emporstieg. Ich fragte den Arzt, ob ich nun sterben müsste. Er antwortete: «Jaaa, also ein Jahr sollten Sie schon noch zu leben haben.» Was für eine Ermutigung ...

Der Krebs war schon fortgeschritten. Ich konnte nur noch an unsere Kinder denken, David, unser Jüngster, war damals gerade 13 Jahre alt, und was wohl mit ihnen geschehen würde, wenn ich nicht mehr da wäre. Für einen Moment fiel ich in ein tiefes Loch. Eigentlich wusste ich, ich konnte nicht tiefer fallen als in die liebenden Arme Gottes. Aber dies war die Realität.

Mit dieser Information ging ich nach Hause. Ich erzählte Peter den Stand der Dinge. Wir fühlten uns so ohnmächtig. Peter nahm mich in die Arme, und wir mussten einfach zusammen weinen. Das einzige, was wir tun konnten, war ein Stossgebet zum Himmel empor zu senden und Gott um seine Gnade zu bitten.

Am darauffolgenden Tag musste ich ins Spital, um das Melanom rausschneiden zu lassen. Danach musste ich ins Insel-Spital in Bern für ein MRT, um festzustellen, wie fortgeschritten der Krebs tatsächlich schon war. Der Arzt gab mir keinen guten Bericht. Er sagte, ich müsse am folgenden Tag wiederkommen für eine nächste Operation. In der Kniekehle und in der Leiste müssten alle Lymphknoten entfern werden. Sie wären alle mit Metastasen befallen. Die OP verlief gut. Ich erinnere mich noch gut an den Tag, wo ich im Gang rauf und runter lief und der Arzt mir entgegenkam, um mir den Befund zu überbringen. Alle Lymphknoten hatten sicher entfernt werden können und die Gefahr, dass der Krebs nun noch weitergehe in den Körper, wäre soweit gestoppt. Über diese gute Nachricht war ich überglücklich und unglaublich dankbar.

Jetzt, wo ich mich am eigenen Leib mit dem Krebs auseinandersetzen musste, befreite mich Jesus von der Angst, die ich zuvor erwähnt hatte, das Wort Krebs auszusprechen. Sie verschwand und kam nie wieder zurück. Halleluja.

Neue Hoffnung

«Und wenn ich auch wanderte durchs Tal des Todesschatten, so fürchte ich kein Unglück, denn du bist bei mir; dein Stecken und dein Stab, die trösten mich» (Psalm 23,4).

Ich konnte mich wieder auffangen und neue Hoffnung schöpfen. Allerdings gab es einige Schwierigkeiten und Komplikationen, die es erforderten, dass ich mich nach einem Monat nochmals unters Messer legte. Unter der Narbe hatte sich eine Eiteransammlung gebildet. Danach trat dann der Heilungsprozess ein und ich konnte nach einigen Tagen nach Hause. Was leider geblieben ist, sind Lymphödeme, da die Lymphbahnen bei der Operation durchtrennt werden mussten. Dadurch gibt es einen Lymphstau, dies bewirkt wiederum Schmerzen, mit denen ich leider bis heute zu tun habe.

Am meisten freute ich mich während meines Spitalaufenthaltes über die täglichen Besuche von Peter und den Kindern. Peter stand mir treu zur Seite, so wie er es immer getan hat. Er war immer mein Fels in der Brandung und ein sicherer Anker in stürmischen Zeiten.

«Fürwahr, er trug unsre Krankheit und lud auf sich unsre Schmerzen. Wir aber hielten ihn für den, der geplagt und von Gott geschlagen und gemartert wäre. Aber er ist um unsere Missetat willen verwundet und um unsere Sünde willen zerschlagen. Die Strafe liegt auf ihm, auf dass wir Frieden hätten, und durch seine Wunden sind wir geheilt» (Jesaja 53,4-5).

«Des Herrn Rat ist wunderbar, und er führt es herrlich hinaus» (Jesaja 28,29).

In Zeiten der Not proklamierte ich immer dieses Wort. Es war mir ein treuer Begleiter über viele Jahre. Das Leben bringt viele Herausforderungen mit sich. Worauf es dabei ankommt ist dies: Wie gehe ich damit um? Lasse ich mich fertigmachen oder stelle ich mich diesen Dingen? Heute darf ich wohl sagen, dass jedes Problem, jede Krise mich näher ans Vaterherz Gottes gezogen hat. Das kann ich auch von Peter sagen.

«Wir wissen aber, dass denen, die Gott lieben, alle Dinge zum Besten dienen, denen, die nach seinem Ratschluss berufen sind» (Römer 8,28).

«Jede Zurechtweisung aber, wenn sie da ist, scheint uns nicht Freude, sondern Schmerz zu sein; danach aber

bringt sie als Frucht denen, die dadurch geübt sind, Frieden und Gerechtigkeit» (Hebräer 12,11).

Eine Herausforderung, mit der wir als Familie lernen mussten umzugehen, war die Krankheit, die Peter befallen hatte. Im Alter von 40 Jahren bemerkten die Ärzte bei ihm Diabetes. Seit damals muss er täglich Insulin spritzen. Ein harter Kampf begann. Besondere Ernährung und viel Sport gehörten zu den wichtigsten Punkten, die zu beachten waren. Leider verschlechterte sich die Situation eher, als dass sie sich verbessert hätte. Über die Jahre zeigte sich das auch zusehends an Peters Gesundheitszustand. Es traten verschieden Spätfolgen auf: Sehschwäche, Rheuma, Arthritis, Bewegungseinschränkungen und auch die Nierenfunktion nahm immer mehr ab.

An die Dialyse

«Dennoch bleibe ich stets an dir; denn du hältst mich bei meiner rechten Hand, du leitest mich nach deinem Rat und nimmst mich am Ende mit Ehren an. Wenn ich nur dich habe, so frage ich nichts nach Himmel und Erde. Wenn mir gleich Leib und Seele verschmachtet, so bist du doch, Gott, allezeit meines Herzens Trost und mein Teil» (Psalm 73,23-26).

Dieses Wort ist tief in Peters Herz eingepflanzt und zeugt von einem tiefen Glauben, Frieden und der Geborgenheit in Gott.

Im Jahr 2014 erklärte uns der Arzt, dass es keinen anderen Weg mehr gebe als die Dialyse. Es war das

Jahr, in dem wir als ganze Familie geplant hatten, für vier Wochen nach Kanada zu fliegen, um unsere Tochter Beatrice, den Schwiegersohn Nathan und unsere Enkel Audrey und Bryton zu besuchen. Der Arzt riet uns, diese Reise unbedingt durchzuziehen. Danach würde es nicht mehr möglich sein. So erlebten wir eine wunderschöne Zeit mit der Familie.

Wir wehrten uns lange gegen die Dialyse. Wir sagten der sichtbaren und der unsichtbaren Welt den Kampf an, mehr als je zuvor. Wir wussten genau, die Dialyse ist nicht die Lösung, sie ist nur eine lebensverlängernde Massnahme. Wir beteten zu Gott, der Wunder tut, um Heilung. Dies taten wir ganz von Beginn an, als die Krankheit festgestellt wurde. Trotzdem kam es so weit, dass Peter dreimal die Woche für fünf Stunden an die Dialyse musste.

Anfänglich lief es recht gut, doch mit der Zeit traten Nebenwirkungen auf wie Schlafstörungen, Blutdruckabfall, körperliche Schwachheit, psychische Störungen etc. Die Strapazen der Dialyse und die Niereninsuffizienz im Allgemeinen haben seine Lebensqualität stark beeinträchtigt. Auch durch andere gesundheitliche Herausforderungen mussten wir um sein Leben bangen.

2015 musste sich Peter einer Hüftoperation unterziehen. Diese fiel in die Zeit, wo er bereits an der Dialyse war. Sein Körper war schon schwach und konnte sich nie wirklich von dieser Operation erholen. Seit diesem Zeitpunkt muss er an Krücken gehen. Durch die vielen Nebenwirkungen, die mit der Dialyse einhergehen, wurde bei Peter der ganze Körper in Mitleidenschaft gezogen.

Eine sehr kritische Situation geschah Ende 2017, als er sich einer Schulteroperation unterziehen musste. Unmittelbar nach der Operation traten Komplikationen auf. Peter musste sofort ins Kantonsspital überführt werden. Nach mehreren sehr herausfordernden Wochen war er dann doch so weit wiederhergestellt, dass er nach Crans-Montana zur Rehabilitation gehen konnte.

Doch nach nur einem Tag in der Reha stellten die Ärzte eine Lungenentzündung und Wasser in den Lungen fest. Per Helikopter musste er zurück ins Akutspital geflogen werden.

In Lebensgefahr

«Sei stille dem HERRN und warte auf ihn. Entrüste dich nicht über den, dem es gut geht, der seinen Mutwillen treibt» (Psalm 37,7).

Er musste zehn Tage lang auf der Intensivstation betreut werden. Der Druck war gross, die Körperkraft nahm immer mehr ab und sein Zustand verschlechterte sich zusehends. An diesem Tiefpunkt angelangt, äusserte sich Peter, er wolle jetzt nach Hause zu Jesus gehen, er habe keine Kraft mehr, so weiterzuleben. Wir waren uns bewusst, dass es wirklich sehr ernst zu nehmen war, wenn er solche Aussagen machte.

Wir bangten um sein Leben. Seine Äusserung stimmte die Familie sehr nachdenklich. Viele liebe Menschen kämpften im Gebet mit uns zusammen um sein Leben. Nach und nach konnte sich Peter tatsächlich erholen. Nach weiteren drei Wochen Spitalaufenthalt konnte er erneut nach Crans-Montana zur Rehabilitation verlegt werden, wo er langsam wieder neue Kräfte aufbauen konnte. Solch eine Therapie ist mit viel Arbeit verbunden. Es ist mehr als nur eine Erholungskur. Während der Reha bekam er Besuch von seinem Propheten John Sagoe und dessen lieber Frau Sandra. Sie blieben zwei Tage bei Peter und beteten für ihn. Gott hat diese Gebete erhört. Es ging Peter von Tag zu Tag besser. Gottes Plan für Peter war, dass er am Leben bleiben darf, um die Werke des Herrn zu tun. Seit vielen Jahren trägt Peter nämlich diese tiefe Sehnsucht in sich, die Zeit der Transformation und der Erweckung miterleben zu dürfen und Teil davon zu sein.

Man muss verstehen, welche Strapazen Peter während dieser zwei Monate seines Spital- und Reha-Aufenthalts durchmachte. Jeden zweiten Tag musste er sich der beschwerlichen, ermüdenden Prozedur der Dialyse unterziehen, um sein Blut zu reinigen. Doch Gott ist ein Wunder wirkender Gott.

> *«Darum werft euer Vertrauen nicht weg, welches eine grosse Belohnung hat» (Hebräer 10,35).*

Dieses Wort liess uns nicht mehr los. Wir fingen an, dafür zu kämpfen, und nahmen die Prophetie in Anspruch. Ein Lied, das uns in der Zeit begleitete, war «Miracles».

Wir befanden uns immer noch in der Zeit des langen Spitalaufenthalts. Der behandelnde Chefarzt der Nephrologie hatte alle notwendigen Schritte in die Wege geleitet, um eine allfällige Nierentransplantation in Erwägung zu ziehen. So konnte sich Peter im Jahr 2018 sämtlichen Voruntersuchungen und Abklärungen unterziehen.

Peter hat mehrere Prophetien erhalten, dass Gott ihn heilen werde. Eine davon bekam er im Oktober 2018 in der New International Church in Biel. Darin hiess es unter anderem, dass Gott Peter eine neue Niere schenken werde, sodass er nicht mehr zur Dialyse müsse.

Der erste Termin zur Transplantation

Bei einem Spaziergang im Januar 2019 an der Rhône hatte Peter eine seltsame Begegnung. Ein fremder Mann kam ihm entgegen. Als sich ihre Wege kreuzten, sagte der Mann: «Bis Ende Jahr wird es dir besser gehen», nicht wissend, wie Gottes Plan für Peter aussieht für das Jahr 2019. Wir erzählten es unserem Apostel John Sagoe. Er meinte, es wäre ein Engel gewesen. Halleluja.

Am 17. Januar 2019 bekamen wir die Meldung, dass Peter jetzt auf der Schweizer Warteliste für eine Nierentransplantation eingetragen wäre. Für uns war es klar, dass jetzt eine lange Zeit des Wartens beginnen würde, wohl zwei bis drei Jahre, so wie es uns mitgeteilt wurde.

Am 30. Januar, als Peter von der Dialyse kam, sprach der Heilige Geist zu ihm folgende Worte: «Bist du bereit?» In diesem Moment wusste er nicht, was Gott ihm damit sagen wollte. Aber ein paar Tage später, am 2. Februar, nachts um zwei Uhr, erhielten wir einen Anruf. Ich wurde aus dem Tiefschlaf gerissen. Im ersten Moment erkannte ich die anrufende Nummer nicht und unterbrach die Leitung. Postwendend klingelte es erneut, ich antwortete und unterbrach die Leitung erneut. Die Person war sehr ausdauernd und rief schliesslich ein drittes Mal an. Sie fragte nach meinem Mann, und ich antwortete: «Er schläft.» Ich fragte nach der Zeit, und wer am Apparat sei. Die Person meinte, sie müsse sofort dringend mit meinem Mann sprechen. So weckte ich ihn auf und gab ihm das Telefon. Erst jetzt fiel bei mir der Groschen.

Mein Mann müsse in fünf Stunden im Transplantationszentrum in Lausanne sein. Sie hätten eine ihm entsprechende Spenderniere. Wir konnten es kaum fassen. Erst zwei Wochen waren seit der Anmeldung vergangen. Wir packten alle Sachen zusammen und fuhren mitten in der Nacht mit dem Auto los. Niemand auf der Welt kann erahnen, wie aufgeregt und hocherfreut wir waren, dass Peter jetzt der Kandidat für eine Spenderniere war. Eine Transplantation muss innerhalb von vierundzwanzig Stunden vorgenommen werden. Also kam er noch am selben Tag auf den Operationstisch.

Aber dann lief etwas schief. Die Ärzte waren an dem Punkt angelangt, wo sie das Organ anschliessen wollten. Sie stellten fest, dass die neue Niere in der Vene einen Defekt aufwies. Peter hatte zwei Liter Blut verloren. Der Überwachungsbildschirm gab Alarm. Das war das Ende. Die Ärzte nähten den Bauch wieder zu. Als Peter aus der Narkose erwachte, erzählten ihm die Ärzte, was geschehen war. Die Enttäuschung war gross. Am selben Tag wurden drei andere Männer an der Niere transplantiert. Es war schwer für Peter, mit diesen Menschen, die eine erfolgreiche Transplantation hinter sich hatten, im Zimmer zu sein oder sie auf dem Flur anzutreffen. So mussten Peter und wir, die ganze Familie, diesen Fehlschlag verdauen und weiterbeten, warten und hoffen.

«Erhalte mich nach deinem Wort, dass ich lebe, und lass mich nicht zuschanden werden in meiner Hoffnung» (Psalm 119,116).

Aber Gott ist ein Meisterplaner. Meine Freundin Regula und ihr Mann Walter hatten sich angemeldet, um bei uns eine Woche Ferien zu geniessen beim Skifahren, Wellnessen und Faulenzen und mit feinem Essen. Sie kamen genau an dem Tag an, als Peter das Aufgebot zur Transplantation erhielt, anfangs Februar. Sie haben ihr ganzes Programm auf den Kopf gestellt und standen uns in dieser schwierigen Situation bei. Jeden Tag fuhr ich mit dem Auto von Leukerbad nach Lausanne, um Peter zu besuchen. Täglich zeigte der Tacho meines Autos 260 Kilometer mehr an. Aber das war nicht alles: Während der stundenlangen Fahrten habe ich gebetet im Heiligen Geist und erlebte so die Gegenwart des Herrn auf mächtige Weise. Diese Gebetszeiten halfen mir, über die Runden zu kommen.

Als ich jeweils am Abend nach Hause kam, stand ein köstliches Essen auf dem Tisch und nette Gesellschaft erwartete mich. Das half mir, besser über die Situation hinwegzukommen. Wir werden es nie vergessen, wie unsere Freunde ihre Ferien geopfert haben, um uns zu segnen. Und ganz nebenbei wurden auch sie gesegnet durch diesen wertvollen Dienst.

Wenn man über Jahre verspürt, dass der Gesundheitszustand sich zunehmend verschlechtert und keine Besserung in Sicht ist, wird die Hoffnung, die man auf eine Transplantation setzt, immer grösser. Peters Glaube ist tief in Gott verwurzelt. Obwohl es sehr hart für ihn war, wurde er nicht zu Boden geschmettert. Weil Jesus am Kreuz den Sieg errungen hatte, wusste er, dass alles Gottes Plan war, obwohl wir es im Moment nicht verstehen konnten.

«Aber in dem allen überwinden wir weit durch den, der uns geliebt hat. Denn ich bin gewiss, dass weder Tod noch Leben, weder Engel noch Mächte noch Gewalten, weder Gegenwärtiges noch Zukünftiges, weder Hohes noch Tiefes noch irgendeine andere Kreatur uns scheiden kann von der Liebe Gottes, die in Christus Jesus ist, unserm Herrn» (Römer 8,37-39).

Immer noch auf der Warteliste

Peter erzählte uns, wie er in der Narkose Selbstmordgedanken hatte. Er erklärte uns, dass diese Operation sein Gethsemane gewesen wäre. Mehrere Tage verbrachte er auf der Intensivstation. Nach zwei Wochen der Erholung von der Narkose und dem Eingriff konnte Peter nach Hause zurückkehren. Das Leben ging weiter wie vorher mit dreimal in der Woche Dialyse. Viele liebe Freunde haben uns im Gebet und mit Ermutigungen unterstützt.

Auch unser Prophet John Sagoe stand uns zur Seite, und wir erzählten ihm, wie wir diese Situation erlebten. Er fragte Gott, was der Grund wäre, dass die Transplantation nicht erfolgreich hatte durchgeführt werden können. Gott sagte ihm, der Nierenspender sei von einem bösen Geist beherrscht gewesen. Als wir das hörten, waren wir sehr erleichtert und konnten die Situation besser einordnen. Wir wissen, dass Gott für seine Kinder nur das Beste bereithält. Nun folgte eine dreimonatige Zeit der Erholung.

Anfang Mai wurde Peter wieder auf die Warteliste gesetzt. Und siehe da: Es dauerte nur zwei Tage, bis ein Anruf des Transplantationszentrums bei uns einging. Wir waren verblüfft und dachten einerseits: «Wow», aber gleichzeitig waren wir auch skeptisch, ob es wohl dieses Mal klappen würde. Wir mussten uns umgehend auf den Weg machen.

Peter musste am Vorabend dort sein, um alle Vorbereitungen durchlaufen zu können. Am nächsten Tag sollte die Transplantation passieren. Der Arzt kam für einen letzten Checkup vorbei. Er markierte auf der Haut, wo sie aufschneiden müssen. Peter war gut vorbereitet und freute sich, ohne zu zweifeln, dass es dieses Mal nun wirklich funktionieren wird. Eine ganze Armee von Leuten stärkte ihm den Rücken mit Gebetsunterstützung. Peter wurde vorbereitet, in den Operationsraum zu gehen. Im letzten Moment, bevor die OP stattfinden sollte, stürmte der Arzt ins Zimmer hinein und sagte: «Halt, stopp; die Transplantation kann nicht durchgeführt werden.» Den Grund dafür haben wir nie offiziell erfahren. Durch die Blume haben wir vernommen, dass die Angehörigen des Spenders die Niere nicht freigeben wollten.

Dieses Bibelwort könnte nicht besser hierher passen. Genauso hatte Peter es empfunden:

«Um deinetwillen werden wir getötet den ganzen Tag; wir sind geachtet wie Schlachtschafe. Aber in dem allen überwinden wir weit durch den, der uns geliebt hat, Christus» (Römer 8,36-37).

Wir dankten Gott, dass er es verhindert hatte, dass Peter ein zweites Mal aufgeschnitten werden musste. Das Leben ging weiter mit der Dialyse. Auch die Ärzte waren bestürzt, dass es auch dieses Mal nicht geklappt hatte. Genau einen Monat später, Anfang Juni, kam ein erneuter Anruf. Es war Abend. Die Person sagte, wir sollten am nächsten Morgen um sieben Uhr ins Spital kommen. Ich weiss noch genau, wie ich ihr sagte: «Sind sie sicher, dass wir kommen sollen?» Sie meinte: «Ja. Die Niere ist kompatibel zu ihrem Mann.» Es war drei Uhr nachts, als das Telefon läutete. Wir hatten das «Köfferlein» schon gepackt und waren bereit loszufahren. Der Bericht lautete: «Ihr müsst nicht kommen!» Wir gingen wieder ins Bett - mit dem gepackten Koffer neben uns-, denn wir wussten ja nicht, wann der nächste Anruf kommen würde.

Der kam dann wirklich und zwar genau einen Monat später. Es war der 3. Juli. 2019. An diesem Tag stieg unsere Tochter Beatrice mit ihrem Mann und ihren Kindern in Calgary, Alberta in Kanada ins Flugzeug, um für fünf Wochen in die Schweiz zu kommen und die Familie zu besuchen. Wir hatten uns viereinhalb Jahre nicht mehr gesehen.

Eine gute Niere

Der vierte Anlauf für die Vorbereitung der Transplantation lief auf Hochtouren. Der Chefarzt sagte, dies wäre eine sehr gute Niere. Neue Hoffnung stieg in uns empor. Wiederum begaben sich viele Leute in den Gebetskampf. Sie beteten, dass nichts mehr im Wege stehen darf. Es standen etwa fünf Ärzte, Pflegefachfrauen und -männer um das Bett von Peter. Alle fieberten mit und meinten: «Also dieses Mal muss es gut kommen!» Eine Pflegefachfrau sagte: «Wir beten, dass es gut kommt.» Halleluja! Und es kam gut!

Als Peter auf dem OP-Tisch lag, schenkte der Heilige Geist ihm dieses Lied in seinen Geist: «This is my story, this is my song, praising my savior all the day long» (auf Deutsch: «Seligstes Wissen, Jesus ist mein»).

Am Donnerstag, als unsere Tochter und ihre Familie aus Kanada sicher in Zürich gelandet waren, wurde Peter erfolgreich transplantiert. Die ganze Familie war überglücklich.

Miracles

The One who made the blind to see
Is moving here in front of me, moving here in front of me
The One who made the deaf to hear
Is silencing my every fear, silencing my every fear

I believe in You, I believe in You
You're the God of miracles

I believe in You, I believe in You
You're the God of miracles

Wunder

Der Eine, der der den Blinden sehen liess,
ist hier direkt bei mir.
Der Eine, der den Tauben hören liess,
bringt meine Furcht zum Schweigen.

Ich glaube an dich, ich glaube an dich.
Du bist der Gott der Wunder.
Ich glaube an dich, ich glaube an dich.
Du bist der Gott der Wunder.

Dieses Lied hat uns während des ganzen Jahres begleitet. Wir danken Gott für das grosse Wunder, das er getan hat.

Dankbar

Drei Wochen nach der Transplantation feierte Peter seinen siebzigsten Geburtstag. Die ganze Familie traf sich im Spital, um diesen Geburtstag zu feiern. Das war ein riesiger Freudentag. Wir waren so überwältigt vom Eingreifen Gottes. Seit damals geht es ihm viel besser und er hat neue Lebensqualität zurückgewonnen. Dafür sind wir Gott ewig dankbar.

Nach sechs Wochen Spitalaufenthalt konnte Peter das Spital verlassen. Das Leben zu Hause ohne Dialyse war nun ein echter Genuss. Allerdings traten

Komplikationen auf. Der Lymphabfluss funktionierte nicht und die Flüssigkeit verteilte sich nicht wie gewünscht im Lymphsystem, sondern sammelte sich jeweils in der Bauchhöhle an. Weitere drei Male musste sich Peter in Spitalpflege begeben, um dieses Problem zu beheben. Jedes Mal gab es einen erneuten operativen Eingriff.

Im Dezember stellten die Ärzte fest, dass sein Herz nicht mehr die gewünschte Pumpleistung erbrachte. Es fanden verschiedene Abklärungen statt und am Ende setzten sie ihm einen Schrittmacher ein. 2019 verbrachte Peter insgesamt 78 Tage im Spital. Er wurde sechsmal operiert, davon fünfmal in Voll- und einmal in Teilnarkose. Jeden Tag, habe ich Peter im Spital besucht, sodass wir zusammen Zeit verbringen konnten. Es war ein sehr anstrengendes, herausforderndes und nervenaufreibendes Jahr 2019. Für die Besuchsfahrten ins Spital legte ich mit dem Auto über 20'000 km zurück. Die Freude über das Wunder und den herrlichen Sieg, den Jesus hinausgeführt hat, gab uns übernatürliche Kraft.

Hier kommt mir eine Strophe aus einem Lied in den Sinn, welches Peter jeweils erwähnt, wenn wir uns schwerwiegenden Herausforderungen stellen müssen: «Das kann doch einen Seemann nicht erschüttern!» Gott hat auch einen guten Sinn für Humor!

Hier ist der Original-Refrain des Liedes:

Das kann doch einen Seemann nicht erschüttern,
Keine Angst, keine Angst, Rosemary!
Wir lassen uns das Leben nicht verbittern,
Keine Angst, keine Angst, Rosemary!
Und wenn die ganze Erde bebt

Und die Welt sich aus den Angeln hebt:
Das kann doch einen Seemann nicht erschüttern,
Keine Angst, keine Angst, Rosemary!

Es könnte nicht besser zu uns passen, sogar mein Name wird darin erwähnt. Der Anker, an dem wir uns auf stürmischer See festhalten, ist Jesus!

Doch nun genug der Stürme. Gegen Ende 2019 kehrte langsam Ruhe ein. Wir dürfen nun sagen, dass die Niere tatsächlich sehr gut funktioniert. Es ist so, wie der Chefarzt es angekündigt hatte, dass es eine gute Niere sei. Das prophetische Wort hat sich erfüllt. Halleluja.

Letztendlich geht es aber nicht um unseren Körper, sondern um die Seele. Die Frage ist, wo ich die Ewigkeit verbringe. Dennoch hat uns Gott in seinem Wort ganzheitliche Heilung nach Leib, Seele und Geist verheissen. Wir vertrauen darauf, dass Gott seine Zusage in jedem Bereich einlösen wird. Es gibt keine bessere Zeit als diese.

«Ich vertraue darauf, dass er, der bei euch das gute Werk begonnen hat, es auch vollenden wird bis zum Tag Christi Jesu» (Philipper 1,6).

Amen!

Ein grosser Verlust

Im Sommer 2014, als unsere Familie in Kanada war, geschah ein trauriges Ereignis. Mein jüngster Bruder Theo wurde vom himmlischen Vater im Alter von 54

Jahre nach einem langen Krebsleiden in die ewige Heimat gerufen. Er wird uns immer fehlen. Möge seine Seele in Frieden ruhen. Er hinterlässt seine Frau Cornelia und drei erwachsene Kinder, Janine, Matthias und Silvan.

«So gibt es nun keine Verdammnis für die, die in Christus Jesus sind. Denn das Gesetz des Geistes, der lebendig macht in Christus Jesus, hat dich frei gemacht von dem Gesetz der Sünde und des Todes» (2. Korinther 5,1-2).

«In meines Vaters Hause sind viele Wohnungen. Wenn's nicht so wäre, hätte ich dann zu euch gesagt: Ich gehe hin, euch die Stätte zu bereiten?» (Johannes 14,2).

Dies sind unsere Hoffnung und Zuversicht: das ewige Leben!

Kapitel 9: Mein geistlicher Werdegang

Wie schon zu Beginn des Buches erwähnt, durfte ich in einem christlichen Elternhaus aufwachsen. Der Same, den meine Eltern in mein Leben gesät haben, durfte aufgehen. Durch die Sonntagsschule lernte ich die biblischen Geschichten kennen.

Mit meinen Eltern besuchte ich jeden Sonntag den Gottesdienst der Chrischona-Gemeinde. Selbst dann, wenn ich nicht motiviert war und lieber zu Hause geblieben wäre, bestanden meine Eltern darauf, dass ich mitkomme. Der Sonntag war dazu bestimmt, den Gottesdienst zu besuchen. Im Kindesalter denken wir oft, dass manches keinen Sinn macht. Wir sehen und verstehen es meistens erst Jahre später, wozu etwas gut ist. So wurde auch ich im Lauf der Zeit dankbar dafür.

Durch die Gottesdienstbesuche, aber auch durch andere Erlebnisse, die ich teils zu Beginn dieses Buches bereits erwähnt habe, konnte ich, ohne dass es mir bewusst war, Disziplin und Durchhaltevermögen lernen. Ich machte die Erfahrung, dass ich hart dafür kämpfen musste, wenn ich etwas erreichen wollte.

Diese Disziplin und das Durchhaltevermögen lernte ich in meinem späteren Leben sehr zu schätzen. Es kam mir sehr zugute. Und nicht schnell aufzugeben, lernte ich durch verschiedene Ereignisse in meinem Leben.

Zum Glauben gekommen

Die Grossevangelisationen des Janz-Teams inspirierten mich, wenn ich sah, wie jeweils Hunderte von jungen Menschen dem Ruf zum Altar folgten und ihr Leben Jesus übergaben.

So vertraute ich in meinen Jugendjahren mein Leben Jesus an. Wobei ich dabei erwähnen muss, dass ein Rückfall im Glauben mich stagnieren liess. Diese Kräfte waren genauso gross wie der Gedanke, im Glauben dranbleiben zu wollen. Ich spürte den Beginn eines geistlichen Kampfes. Jesus wollte mich ganz auf seiner Seite haben, aber mein Ego sträubte sich dagegen.

Geht es dir gerade auch so? Ich hoffe, ich kann dich darin ermutigen!

«Als alle versammelt waren, trat Elia vor die Menge und rief: ‹Wie lange noch wollt ihr auf zwei Hochzeiten tanzen? Wenn der HERR der wahre Gott ist, dann gehorcht ihm allein! Ist es aber Baal, dann dient nur ihm!› Das Volk sagte kein Wort, und so fuhr Elia fort: ‹Ich stehe hier vor euch als einziger Prophet des HERRN, der noch übriggeblieben ist›» (1. Könige 18,21-22).

Gott hat immer direkt durch sein Wort in mein Leben hineingesprochen. Allerdings musste er mir dieses Wort tief in mein Herz einpflanzen, weil ich ihm immer wieder davongelaufen bin. Aber letztendlich konnte niemand mehr diese Worte entwurzeln.

Es ist so, wie wenn man ein Pflänzlein eintopft. Wenn es gerade Wurzeln geschlagen hat und man es wieder umsetzt, gerät es in Gefahr, dass es zugrunde geht. Wenn man es dann erneut eintopfen will, kann es an Substanz verlieren, die Wurzeln vertrocknen oder es verfault und muss weggeworfen werden.

Man sollte aber nicht zu schnell aufgeben und hoffen, dass es nochmals Wurzeln schlägt. Vielmehr soll man es bewässern und mit Sorgfalt und viel Geduld darauf warten, dass es sich wieder aufrichtet. Dann kann man davon ausgehen, dass es stärker und kräftiger wird und sich zu einer prächtigen Pflanze entwickeln kann. Das Resultat davon wird eine wunderschöne Blume sein, an der man sich erfreuen kann.

Genauso verhält es sich mit Gott. Voller Geduld und Fürsorge wartet er auf uns Menschen, dass wir Jesus in unsere Herzen aufnehmen und tiefe Wurzeln in ihm schlagen. Jesus möchte uns wieder mit dem Vater versöhnen. Ich danke Gott, dass er mit mir so viel Geduld hatte und immer wieder voller Liebe an meine Lebenstüre angeklopft hat.

«Siehe, ich stehe vor der Tür und klopfe an. Wenn jemand meine Stimme hören wird und die Tür auftun, zu dem werde ich hineingehen und das Abendmahl mit ihm halten und er mit mir» (Offenbarung 3,20).

«All dies verdanken wir Gott, der uns durch Christus mit sich selbst versöhnt hat. Er hat uns beauftragt, diese Botschaft überall zu verkünden. Und so lautet sie: Gott ist durch Christus selbst in diese Welt gekommen und hat Frieden mit ihr geschlossen, indem er den Menschen ihre Sünden nicht länger anrechnet. Gott hat uns dazu bestimmt, diese Botschaft der Versöhnung in der ganzen Welt zu verbreiten» (2. Korinther 5,18-19).

Drangeblieben

Ich bin dem Herrn dankbar, dass er so viel Geduld mit mir hatte, dass ich weiterhin am Glauben dranbleiben konnte. Eine verbindliche Gemeindezugehörigkeit ist dafür sehr wichtig. So besuchte ich weiterhin die Chrischona-Gemeinde, in der ich ein geistliches Zuhause gefunden hatte.

Damals lernte ich meine Freundin Regula kennen. Wir begegneten uns im Jahr 1977 in der Chrischona-Gemeinde in Wald. Regula arbeitete dort als Gemeindehelferin. Wir erlebten gute Zeiten zusammen und konnten uns geistlich gegenseitig auferbauen. Zusammen haben wir viel durchgemacht. Gutes wie auch weniger Gutes. Wir hatten mancherlei Gemeinsamkeiten. Wir lernten unsere Männer zur selben Zeit kennen und heirateten im gleichen Jahr. Unsere Freundschaft besteht inzwischen seit über 45 Jahren!

Die Jahre vergingen. Und die ganze Zeit hindurch versuchte der Feind, mich zu täuschen, mich abzulenken oder davon abzubringen, Jesus nachzufolgen.

«Doch ihr, meine geliebten Kinder, gehört zu Gott. Ihr habt diese Lügenpropheten durchschaut und überwunden. Denn Gott, der in euch wirkt, ist stärker als der Teufel, von dem die Welt beherrscht wird» (1. Johannes 4,4).

«Gottes Wort ist voller Leben und Kraft. Es ist schärfer als die Klinge eines beidseitig geschliffenen Schwertes, dringt es doch bis in unser Innerstes, bis in unsere Seele und unseren Geist, und trifft uns tief in Mark und Bein. Dieses Wort ist ein unbestechlicher Richter über die Gedanken und geheimsten Wünsche unseres Herzens» (Hebräer 4,12).

Durch das Zitieren des Wortes Gottes kommt Kraft in mein Leben, und es durchdringt meine Seele und den Geist. Einige Jahre sind seitdem vergangen. In der Zwischenzeit ist viel passiert. Mein Leben wurde zusehends stabiler.

Während ich diese Worte schreibe, empfinde ich gerade, jemanden zu ermutigen. Der Heilige Geist bringt durch sein Wort Klarheit in dein Leben.

Reich Gottes praktisch

Mit 26 Jahre hatte ich das Bedürfnis, auf praktische Weise im Reich Gottes einen Beitrag zu leisten. So entschloss ich mich, in der «Casa Moscia» in Ascona einen diakonischen Halbjahreseinsatz bei der den Vereinigten Bibelgruppen (VBG) zu leisten. Dies legte den Grundstein für mein weiteres geistliches Leben. Etwa 30 freiwillige junge Leute integrierten sich in dieser sogenannten Hausgemeinschaft. Die gemeinsame Zeit dort formte mein Leben in allen Bereichen. Durch das tägliche Betrachten und Meditieren des Wortes Gottes, durch Anbetung und Gebet durfte ich in eine tiefe Beziehung zu Jesus hineinwachsen.

Durch das Lösen von Konflikten, die unvermeidlich waren im Zusammenleben von jungen Menschen, wurde mein Charakter geschliffen. Geistliches Wachstum geschieht immer ganzheitlich in Leib, Seele und Geist. (All dies war auch eine Zeit der Vorbereitung auf die Ehe, die ich dann ein paar Jahre später mit Peter eingegangen bin.)

Gottes Richtschnur

Jahre später, längst waren wir eine eigene Familie, besuchten wir gemeinsam bei «Jugend mit einer Mission» (JMEM) deren sechsmonatige Jüngerschaftsschule. Die Highlights dieser Zeit waren die Wochenenden, an denen sich alle Teilnehmer im Gruppenhaus Aeschi bei Spiez trafen. Die ganze Familie konnte davon profitieren. Für die Kinder gab es ein Spezialprogramm, während die Erwachsenen die Seminare besuchten. So konnten wir als ganze Familie im Glauben wachsen und wurden dadurch zusammengeschweisst. Die Themen waren alle biblisch fundiert und hochinteressant, sodass der Glaube dadurch vertieft werden konnte. An ein Thema erinnere ich mich noch sehr gut. Es war eines meiner Lieblingsthemen: «Plumbline» (Die Richtschnur Gottes). Obwohl diese Zeiten längst in weiter Ferne sind und ich mich nicht mehr an alle Details erinnern kann, hat es mein Glaubensleben massiv beeinflusst.

Wir hatten damals die Gelegenheit, uns in den Geistesgaben zu trainieren, indem wir für die anderen Teilnehmer beteten und ihnen einen Eindruck, ein Wort der Erkenntnis, der Ermutigung oder eine Prophetie weitergeben durften. Ich erhielt viel Ermutigung und Wegweisung. So liess Gott mich sehen:

«Siehe, der Herr stand auf einer Mauer, die mit einem Senkblei gerichtet war, und in seiner Hand war ein Senkblei. Und der HERR sprach zu mir: Was siehst du, Amos? Und ich sagte: Ein Senkblei. Und der Herr sprach: Siehe, ich lege ein Senkblei an mitten in meinem Volk Israel. Ich gehe künftig nicht mehr schonend an ihm vorüber» (Amos 7,7-8).

Die Seminare wurden von Dr. Bruce Thompson entworfen. Er war Arzt, Psychologe und Mitbegründer der Seelsorge-Ausbildung vom JMEM weltweit. Es ging ihm vor allem darum, die göttliche Ordnung im Leben eines Menschen wiederherzustellen, in seiner Seele, dem Herzen in der Gemeinde Jesu und auch in der Gesellschaft. Diese Seminare werden bis in die heutige Zeit weitergeführt, und sie bringen mächtige Zeugnisse der lebensverändernden Kraft des Heiligen Geistes hervor, welche in diesen Anlässen jedes Leben durchdringt.

«Achtet nun darauf, zu tun, wie der HERR, euer Gott, es euch geboten hat! Weicht nicht davon ab zur Rechten noch zur Linken! Auf dem ganzen Weg, den der HERR, euer Gott, euch geboten hat, sollt ihr gehen, damit ihr lebt und es euch gut geht und ihr eure Tage verlängert in dem Land, das ihr in Besitz nehmen werdet» (5. Mose 5,32-33).

Dienst für den Herrn

In der Gemeinde, wo wir 20 Jahre dienen durften, besuchte ich verschiedene Kurse zu Seelsorge, Kleingruppen oder seelsorgerlichem Gebetsdienst. Diese brachten mich dazu, dass ich den Schatz, den Gott in meinen Geist hineingelegt hatte, an meine Mitmenschen weiterzugeben. Unter anderem leitete ich eine Kleingruppe mit. Auf diese Weise konnte ich während mehrerer Jahre im Dienst für den Herrn stehen.

«Ja, ich bete, dass ihr diese Liebe immer tiefer versteht, die wir doch mit unserem Verstand niemals ganz fassen können. Dann werdet ihr auch immer mehr mit dem ganzen Reichtum des Lebens erfüllt sein, der bei Gott zu finden ist. Gott aber kann viel mehr tun, als wir jemals von ihm erbitten oder uns auch nur vorstellen können. So gross ist seine Kraft, die in uns wirkt. Deshalb wollen wir ihn mit der ganzen Gemeinde durch Jesus Christus ewig und für alle Zeiten loben und preisen. Amen» (Epheser 3,19-21).

Unsere jetzige Gemeinde

Eines Tages kontaktierte mich eine liebe Freundin. Voller Begeisterung erzählte sie, dass sie mich einladen wolle, mit ihr in eine Kirche zu kommen, in der ein Prophet predige. Sie war regelmässig dort. Ich lehnte ab mit der Begründung, dass ich keinem Propheten nachrenne. Einige Monate später sprach sie mich wieder darauf an. Sie zeigte Beharrlichkeit! Ich vertröstete sie: «Ach, weisst du, wir ziehen demnächst um, vielleicht komme ich dann mal mit, wenn wir installiert sind und uns an die neue Umgebung angepasst haben.» Das konnte sie besser akzeptieren.

Der Umzug geschah.

Ein paar Wochen danach rief mich die liebe, beharrliche Freundin wieder an. «Jetzt habt ihr euch doch sicher installiert am neuen Ort», meinte sie. «Somit hast du also keine Ausrede mehr, mich dorthin zu begleiten.» Okay. Ich besprach das Ganze mit Peter.

Er meinte, es wäre eine gute Idee, und wir sollten zusammen dort hingehen. So machten wir uns auf und fuhren nach Biel in die New International Church.

Zeitlich waren wir etwas zu spät. Die Zusammenkunft hatte bereits begonnen. Mein erster Eindruck, als ich den Saal betrat, war eine Wolke der Liebe, die auf mich zukam. Die Menschen standen in einem Kreis, hielten sich an den Händen, priesen Gott und beteten. Ich fühlte mich sofort zu Hause und hingezogen, als würde ich schon mein Leben lang dort einund ausgehen. Was mich sehr angesprochen hatte, nebst der Liebe, die ich spürte: Es waren nicht allzu viele Menschen anwesend. Ich empfand es als sehr angenehm und persönlich. Die Kirche, in der wir beheimatet waren, war eine grosse mit mehreren Hundert Leuten. Der Prophet John Sagoe kündigte an, dass in einem Monat die jährliche «Zeit der Begegnung»-Konferenz stattfinden würde. Begeistert und gestärkt gingen wir nach Hause. Wir dachten, ab und zu könnten wir diese Kirche besuchen, und das würde auch nichts daran ändern, weiterhin in die Gemeinde zu gehen, der wir ursprünglich angehörten.

Oft reisten wir in das nahe Ausland, um die Botschaft von gesalbten Männern Gottes zu vernehmen und unser Glaubensleben zu stärken. So entschieden wir uns, auch an dieser Konferenz teilzunehmen, zumal sie auch in nächster Nähe von unserem Zuhause stattfand. Dies war eine mächtige Segenszeit, wo unser Glaube sehr gestärkt und ermutigt wurde. Wir kehrten mit neuen Erfahrungen in unsere Ursprungsgemeinde und in den Alltag zurück.

Wir waren begeistert, immer wieder in die New International Church zu gehen, weil auch ständig neue Events angekündigt wurden. So wurde ein Silvester-Gottesdienst angekündigt. Das kam uns sehr gelegen. Endlich konnten wir den Silvesterabend sinnvoll verbringen. Und so gingen wir hin.

Wow, das war so mächtig. Die Anbetungszeit, die Botschaft, die Gebete, das war so kraftvoll und genau das, wonach wir uns sehnten, nämlich mehr Tiefgang im geistlichen Bereich. Was die New International Church von anderen Gemeinden unterscheidet, ist, dass sie eine prophetische Endzeit-Gemeinde ist. Von da an wussten wir zu 100 Prozent, dass die New International Church unsere neue geistliche Heimat sein würde. Wir wussten auch, dass dies die Kirche ist, in der Gott uns haben möchte.

Das nächste Highlight wurde angekündigt: eine dreiwöchige Fastenzeit zum Jahresbeginn. Es ging darum, Gott zu danken, und ihm durch die Fastenzeit die geistliche Erstlingsfrucht darzubringen. Wir dachten: Wow, da wollen wir mit dabei sein. So etwas hatten wir noch nie zuvor erlebt. Ein weiterer Punkt, der mich bei der New International Church inspirierte, war der, dass sie eine internationale Kirche ist.

Die Offenherzigkeit, die Fröhlichkeit, die Freiheit, die Dreisprachigkeit, die Missionsarbeit und die Vielfalt begeisterten mich enorm. Es war einfach so, dass ich wusste: Da ist der Ort, wo ich voll und ganz meine Gaben und Fähigkeiten und mein Wissen einbringen kann.

Wir waren da angekommen, wo uns Gott mächtig im Dienst, im Reich Gottes einsetzen und gebrauchen wollte. Und zwar ganz besonders darin, um die Transformation und Erweckung in der Schweiz voranzutreiben.

Mitgliedschaft und Mitarbeit

Zusammen mit Peter machte ich Nägel mit Köpfen. Im März 2009 bekannten wir uns dazu, verbindliche Mitglieder der New International Church in Biel werden zu wollen. Einer Kirche als Mitglied beizutreten, empfinde ich als sehr wertvoll. Es ist ein Integriert-Sein in die göttliche Familie genauso wie Gott es mit der natürlichen Familie eingerichtet hat. Es bedeutet aber auch, eine Verpflichtung einzugehen, die ich nicht nach ein paar Monaten oder Jahren einfach so rückgängig mache, wenn mir etwas nicht passt. Es gibt mir die Möglichkeit, mich zu investieren, mit meinen Gaben, meiner Zeit und meinen finanziellen Mitteln. Es ist eine wunderbare Erfahrung, die ich machen durfte.

Vom ersten Tag an stimmte ich mit der Vision der New International Church überein. Als ich jung war, hegte ich den Wunsch in mir, als Rezeptionistin arbeiten zu können. Leider bekam ich nie in meinem

Leben die Gelegenheit dazu. Es dauerte nur drei Monate, bis mich Prophet John Sagoe anfragte, ob ich gerne im Gemeindebüro mitarbeiten wollte. Nebenbei bemerkte er: «Du kannst zwei Monate auf Probe arbeiten. Wenn es dir nicht entspricht, ist es kein Problem, das Ganze abzubrechen.»

Das war für mich eine Gebetserhörung. Meine Freude war riesig, aber gleichzeitig mit Bedenken verbunden, wie ich das wohl schaffen würde. Meine Computerkenntnisse waren nicht allzu gross. Ich dachte mir: «Sollte es nicht klappen, kann ich nicht viel verlieren.» Deshalb wagte ich den Sprung ins kalte Wasser. Jesus erinnerte mich wieder an dieses Wort:

«Des Herrn Rat ist wunderbar und er führt es herrlich hinaus» (Jesaja 28,29).

Schritt für Schritt lernte ich das Computersystem kennen. Mit der Vielfalt der Gemeindearbeit wurde ich bald vertraut. Ich wurde von meinem Chef, Prophet John Sagoe, persönlich in jedem Gebiet sehr gut eingearbeitet. Mit viel Geduld investierte er sehr viel Zeit in mich, um mir die neue Aufgabe schmackhaft zu machen. Auf diese Weise konnte ich in meine volle Berufung eintauchen.

Meine Beziehung zu Jesus vertiefte sich mehr und mehr. Die geistliche Nahrung wurde zu meiner täglichen Speise und ich konnte mich geistlich mehr und mehr entwickeln. Der Heilige Geist lehrte mich, im Geist des Übernatürlichen, des Himmlischen zu wandeln. Es ist ein grosses Privileg, eng mit dem Propheten zusammenzuarbeiten.

Dank der New International Church konnte ich mein Französisch und mein Englisch auffrischen. So durfte ich unter anderem im Übersetzungsdienst mitarbeiten.

Meine Grenzen werden erweitert

Es war an einem Freitagabend, meinem Geburtstag, wo wir regulär unseren kraftvollen Gottesdienst feierten. Pastor Bobby leitete den Abend. Seine Frau Joëlle sollte ihn übersetzen. Ich sass vorne in der ersten Reihe, als sie mir das Mikrofon in die Hand drückte und sagte: «Kannst du übernehmen? Ich muss nach hinten zum Media-Bereich und dort helfen.»

Mein Herz sprang mir beinahe aus der Brust vor Angst. Ich hatte keine Zeit zu reagieren. Ich dachte nur: «Hoffentlich kommt sie bald zurück!» Dies wurde meine erste Übersetzungserfahrung. Joëlle kam natürlich erst wieder am Schluss des Gottesdienstes zurück nach vorne. Von da an war ich definitiv im Team. Als die Zeit reif war, beförderte mich Gott auf die nächste Ebene in das Amt einer Ältesten. Es ist so: Je höher die Berufung, desto mehr Verantwortung gilt es zu übernehmen. Das erfordert eine völlige Hingabe an Gott.

Hier möchte ich etwas sehr Wichtiges erwähnen: Weisheit ist ein grundlegender Aspekt, um im Leben etwas zu erreichen. Jeder Mensch braucht Weisheit. Das Wort Gottes sagt:

«Aus Mangel an Erkenntnis und Weisheit geht mein Volk zu Grunde» (Hosea 4,6).

Die Weisheit bringt mich weiter im Leben, und diese Weisheit kommt aus dem Wort Gottes. Gott selbst ist die Weisheit. Jesus ist unser Vorbild, der Heilige Geist unser Lehrer. Er lehrt uns, wie wir weise handeln sollen.

«Wenn es aber jemandem unter euch an Weisheit mangelt, so bitte er Gott, der jedermann gern und ohne Vorwurf gibt; so wird sie ihm gegeben werden. Er bitte aber im Glauben und zweifle nicht; denn wer zweifelt, der gleicht einer Meereswoge, die vom Wind hin und her getrieben wird» (Jakobus 1,5).

Der Glaube spielt dabei eine zentrale Rolle. Glaube kommt aus der Predigt, sprich aus dem Wort Gottes. Wenn wir an Erkenntnis zunehmen wollen, müssen wir auch im Glauben wachsen. Denn ohne Glauben können wir Gott nicht gefallen.

«So kommt der Glaube aus der Predigt, das Predigen aber durch das Wort Christi» (Römer 10,17).

Dienen ist das Schlüsselwort. Was bedeutet es, richtig zu dienen? Sich vor Gott demütigen, wohlgefällig vor ihm leben, mein eigenes Leben für Jesus aufgeben.

«Und Jesus sprach: Vater, willst du, so nimm diesen Kelch von mir; doch nicht mein, sondern dein Wille geschehe!» (Lukas 22,42).

In diesem Wort werden wir aufgefordert zu sterben, um nach Gottes Willen zu fragen und ihn auch zu tun.

Damit ist allerdings nicht der physische Tod gemeint, sondern der geistliche.

> *«Ich ermahne euch nun, Brüder und Schwestern, durch die Barmherzigkeit Gottes, dass ihr euren Leib hingebt als ein Opfer, das lebendig, heilig und Gott wohlgefällig sei. Das sei euer vernünftiger Gottesdienst. Und stellt euch nicht dieser Welt gleich, sondern ändert euch durch Erneuerung eures Sinnes, auf dass ihr prüfen könnt, was Gottes Wille ist, nämlich das Gute und Wohlgefällige und Vollkommene» (Römer 12,1-2).*

Es bedeutet, auch etwas von sich preiszugeben, und nicht seine eigenen Bedürfnisse in den Vordergrund zu stellen. Die meisten Menschen wollen nicht stehenbleiben, sie wollen sich entwickeln und vorwärtskommen. Wir wollen die uns von Gott gegebenen Ziele erreichen. Wir wollen, dass er uns dazu gebraucht, sein Reich auf der Erde aufzubauen.

> *«Dienet einander mit der Gabe, wenn ich weiterkommen will, in meinem Dienst, Berufung weitergehen, muss ich dienen. Und dienet einander, ein jeder mit der Gabe, die er empfangen hat, als die guten Haushalter der mancherlei Gnade Gottes» (1. Petrus 4,10).*

Wenn ich beginne, zum Beispiel einzelnen Personen in der Gemeinde zu dienen, dann wird Gott diese Person, der wir dienen, dazu gebrauchen, um uns zu erheben. Dadurch können wir in unserer Berufung zunehmen. Wenn ich sage, dass wir dem Pastor und der Gemeinde dienen sollen, geht es hier nicht um Menschenverherrlichung, vielmehr ist es ist der Wille

Gottes, dass wir uns ihm ganz hingeben und der Gemeinde dienen. Gott ist der Gründer der Kirche. Sie ist nicht ein Ort, wo wir hinkommen, konsumieren und danach einfach wieder gehen. Sie steht vielmehr für ein Geben und Nehmen, wo Gemeinschaft gepflegt wird. Es geht darum, die Dinge Gottes an den ersten Platz zu stellen. Diesen Weg der völligen Hingabe an Jesus zu gehen, erfordert das Zahlen eines Preises: Nämlich lebe nicht mehr ich, sondern Christus lebt in mir. Unsere Leben sollen von Gott geführt sein.

Der folgende Vers bringt es zum Ausdruck. Wenn wir nach Gottes Reich trachten, nach seinen Bedürfnissen fragen, leben wir in seinem Willen, und dies wiederum gibt uns die absolute Erfüllung in jedem Lebensbereich. Das möchten wir doch alle. Es ist eine wunderbare Erfahrung, die Gewissheit zu haben, im Einklang mit dem Vater, Jesus und dem Heiligen Geist zu leben.

«Trachtet zuerst nach dem Reich Gottes und nach seiner Gerechtigkeit, so wird euch das alles zufallen» (Matthäus 6,33).

Eine neue Berufung

Er, der uns in unseren Dienst und unsere Berufung hineinsetzt, wird uns geben, wonach wir streben oder wonach wir uns sehnen. Gott erhebt uns.

Das hat nichts mit weltlichem Erfolg zu tun und auch nicht mit weltlicher Weisheit. Die Weisheit Gottes segnet unser Leben. Wir können dadurch andere segnen, aber das Reich Gottes muss dabei an erster Stelle stehen. Unsere eigenen Bedürfnisse und Wünsche müssen wir zurückstellen. Wir müssen immer wieder Gott fragen: «Was willst du, dass ich für dein Reich tue?» Oft suchen wir viel zu weit entfernt. Seine Antwort liegt da, wo Gott uns hingestellt hat: Zu Hause, in der Familie, am Arbeitsplatz, im Dienst an älteren Menschen etc. Es muss einfach von Herzen kommen.

Gott gebraucht immer andere Menschen, um uns in unserem Glaubensleben weiterzubringen, seien es Pastoren, Propheten oder Apostel. Amen!

Später berief mich Gott in den Predigtdienst, den ich mit grosser Leidenschaft ausüben darf. Es ist mein innigster Herzenswunsch, einer verlorenen Welt das Evangelium zu predigen und zuzusehen, wie die Ernte eingebracht werden kann. Ich will mich Gott ganz zur Verfügung stellen. Es lohnt sich. Der Lohn im Himmel wird einmal gross sein.

> *«Dann spricht Jesus zu seinen Jüngern: Die Ernte zwar ist gross, die Arbeiter aber sind wenige. Bittet nun den Herrn der Ernte, dass er Arbeiter aussende in seine Ernte!» (Matthäus 9,37-38).*

> *«Und ich hörte die Stimme des Herrn, der sprach: Wen soll ich senden, und wer wird für uns gehen? Da sprach ich: Hier bin ich, sende mich!» (Jesaja 6,8-9).*

Gott hatte mich buchstäblich von einer auf die nächste Treppenstufe emporgehoben. Ich danke ihm mit unaussprechlicher Freude für mein Leben. Gott hat mir viel Gnade und Gunst geschenkt mit einer positiven Lebenseinstellung, einem Geist der Ermutigung und der Selbstlosigkeit.

Die schönen und die schwierigen Lebenssituationen, die ich durchgemacht habe, haben mich letztendlich näher zu Gott in seine Abhängigkeit geführt. Sie haben mich im Glauben stark gemacht und mir geholfen, nicht aufzugeben, egal was kommt. Die Melodie meines Lebens besteht dadurch definitiv aus einem ganzen Repertoire an hohen und tiefen Tönen.

Heiligung und Veränderung im Leben geschehen zu lassen, ist oft sehr schmerzhaft. Wenn wir uns auf dieses Abenteuer mit Gott einlassen, bringt es uns aber letztendlich nur Gewinn.

«Ich bin der wahre Weinstock, und mein Vater ist der Weingärtner. Alle Reben am Weinstock, die keine Trauben tragen, schneidet er ab. Aber die Frucht tragenden Reben beschneidet er sorgfältig, damit sie noch mehr Frucht bringen. Ihr seid schon gute Reben, weil ihr meine Botschaft gehört habt. Bleibt fest mit mir verbunden, und ich werde ebenso mit euch verbunden bleiben! Denn eine Rebe kann nicht aus sich selbst heraus Früchte tragen, sondern nur, wenn sie am Weinstock hängt. Ebenso werdet auch ihr nur Frucht bringen, wenn ihr mit mir verbunden bleibt. Ich bin der Weinstock, und ihr seid die Reben. Wer mit mir verbunden bleibt, so wie ich mit ihm, der trägt viel Frucht. Denn ohne mich könnt ihr nichts ausrichten. Wer ohne mich lebt, wird wie eine unfruchtbare Rebe abgeschnitten und weggeworfen. Die verdorrten Reben werden gesammelt, ins Feuer geworfen und verbrannt. Wenn ihr aber fest mit mir verbunden bleibt und euch meine Worte zu Herzen nehmt, dürft ihr

von Gott erbitten, was ihr wollt; ihr werdet es erhalten. Wenn ihr viel Frucht bringt und euch so als meine Jünger erweist, wird die Herrlichkeit meines Vaters sichtbar. Wie mich der Vater liebt, so liebe ich euch. Bleibt in meiner Liebe! Wenn ihr nach meinen Geboten lebt, wird meine Liebe euch umschliessen. Auch ich richte mich nach den Geboten meines Vaters und lebe in seiner Liebe. Das alles sage ich euch, damit meine Freude euch erfüllt und eure Freude dadurch vollkommen wird. Und so lautet mein Gebot: Liebt einander, wie ich euch geliebt habe. Niemand liebt mehr als einer, der sein Leben für die Freunde hingibt. Und ihr seid meine Freunde, wenn ihr tut, was ich euch aufgetragen habe. Ich nenne euch nicht mehr Diener; denn einem Diener sagt der Herr nicht, was er vorhat. Ihr aber seid, meine Freunde; denn ich habe euch alles anvertraut, was ich vom Vater gehört habe. Nicht ihr habt mich erwählt, sondern ich habe euch erwählt. Ich habe euch dazu bestimmt, dass ihr euch auf den Weg macht und Frucht bringt - Frucht, die bleibt. Dann wird euch der Vater alles geben, worum ihr ihn in meinem Namen bittet. Das ist mein Auftrag an euch: Liebt einander!» (Johannes 15,1-17).

«Natürlich freut sich niemand darüber, wenn er zurechtgewiesen wird; denn Strafe tut weh. Aber später zeigt sich, wozu das alles gut war. Wer nämlich auf diese Weise Ausdauer gelernt hat, der tut, was Gott gefällt, und ist von seinem Frieden erfüllt» (Hebräer 12,11).

Durch dieses Buch möchte ich meiner Familie, meinen Nachkommen und all denen, die es in Zukunft lesen werden, ein geistliches Erbe hinterlassen. Das Wort Gottes, welches darin erwähnt wird, bleibt ewig bestehen und ist das Erbe, das Gott uns durch Jesus Christus geschenkt hat.

«Der Geist selbst gibt Zeugnis unserm Geist, dass wir Gottes Kinder sind. Sind wir aber Kinder, so sind wir auch Erben, nämlich Gottes Erben und Miterben Christi, da wir ja mit ihm leiden, damit wir auch mit ihm zur Herrlichkeit erhoben werden» (Römer 8,16-17).

«Der Gute wird vererben auf Kindeskinder; aber des Sünders Habe wird gespart für den Gerechten» (Sprüche 13,22).

Es ist mein Gebet, dass alle, die dieses Buch lesen, ermutigt und im Glauben an Jesus gestärkt werden.

«Und der HERR redete mit Mose und sprach: Sage Aaron und seinen Söhnen und sprich: So sollt ihr sagen zu den Israeliten, wenn ihr sie segnet: Der HERR segne dich und behüte dich; der HERR lasse sein Angesicht leuchten über dir und sei dir gnädig; der HERR hebe sein Angesicht über dich und gebe dir Frieden. So sollen sie meinen Namen auf die Israeliten legen, dass ich sie segne» (4. Mose 6,22-27).

Amen und Amen!

John E. Sagoe und sein Dienst

Apostel John E. Sagoe ist ein Königreichs-Visionär. Er ist Träger eines Ehrendoktortitels der Theologie, verliehen von der Bethel Christian University in Detroit/Michigan (USA), er ist geistlicher Vater vieler auf der ganzen Welt, Missionsgründer, Apostel und Gründer der New International Church Schweiz, er ist Ehemann und Vater von fünf Mädchen und ein Mann mit unaufhaltsamem Eifer nach den Dingen Gottes.

Er wurde in Westafrika geboren und wuchs in einer ghanaisch-nigerianischen Familie auf. Nach zeitweiligen «weltlichen» Erfahrungen hatte Apostel John im September 1989 seine erste Begegnung mit Jesus. Als er in Lagos, Nigeria mit einer Überdosis Marihuana im Körper im Bus sass, sprach ihn ein Mann an und predigte über Jesus Christus. Die Worte, die der junge John hörte, führten ihn in eine Trance. In dieser Trance hatte er die Vision einer grossen Gemeinde mit Zehntausenden Menschen. Gott stellte ihn daraufhin vor die Wahl: Entweder solle er sich ihm zur Verfügung stellen und die Gemeinde Gottes bauen oder er würde für den Rest seines Lebens verrückt bleiben. Gott sei Dank entschied er sich für das Richtige, und Gott verwandelte den jungen John von einem weltlichen zu einem göttlichen Draufgänger.

Apostel Johns Laufbahn führte ihn durch viele Berufe und Länder. Seine Erfahrungen schulten ihn darin, sich schnell anzupassen und Menschenherzen mit einer demütigen, dienenden Haltung zu gewinnen. Sein Engagement in verschiedensten Diensten bot ihm einen unverfälschten Einblick hinter die Kulissen des Reiches Gottes. Während er Männern Gottes die Bibel trug, Fahrer für Gemeinden war, den Reinigungsdienst in einer Gemeinde verrichtete, Übersetzungskopfhörer verteilte oder Gebetsgruppen in verschiedenen Glaubensrichtungen leitete, erfuhr er viel über die unterschiedlichen Ecken des Königreiches.

Letztendlich rief Gott ihn in den vollzeitlichen Dienst – und sein Leben veränderte sich für immer.

Nach der Gründung der New International Church Schweiz im November 2003 kann die Entwicklung seines Dienstes als explosionsartig beschrieben werden. Gott segnete Apostel John dabei auch mit einer präzisen Gabe der Prophetie. Als er im Jahr 2005 mit anderen Christen die Erlaubnis bekam, die Bundeshauskuppel in Bern zu besteigen, um dort für das Schweizer Volk zu beten, hörte er von Gott, wie sehr Gebet für die Schweiz nötig sei. Daraufhin rief Apostel John E. Sagoe in seiner Gemeinde zu einem Jahr der Fürbitte für die Schweiz auf und veranstaltete von da an die alljährliche Konferenz „Zeit der Begegnung", welche über die Landesgrenzen hinaus bekannt wurde.

2010 gebrauchte Gott Apostel John, als er den Wechsel der Präsidentschaft in einem europäischen Land prophezeite. Im selben Jahr prophezeite er einem hohen Regierungsbeamten aus Westafrika die politische Zukunft seines Landes. Beide Prophezeiungen wurden Wirklichkeit, so wie er es verkündet hatte. Auch Katastrophen wie zum Beispiel das Erdbeben in Haiti oder der Vulkanausbruch auf Island wurden Apostel John im Voraus offenbart.

Apostel Johns prophetische Gabe und seine Lehre über Finanzen half vielen Gemeinden, Organisationen, Politikern und Einzelpersonen, ihre Träume und Visionen zu realisieren.

Die New International Church hat mehrere schweizerische Tochtergemeinden und ihren Hauptsitz in Biel. Aktuell entfaltet sich der Dienst auch in den USA. Gleichzeitig breitet sich die Mission der New International Church kontinuierlich in Westafrika aus. Das «Safe Haven»-Kinderheim, sowie die «NIC International School» in Ghana sind erfolgreiche und ständig wachsende Missionsprojekte.

Apostel Johns Herz schlägt für die Armen – ob geistlich, körperlich, finanziell oder mental. Es ist sein tiefster Wunsch, Gott zu gefallen und ihm kompromisslos zu dienen. Reverend Sam Korankye Ankrah, der Apostel General der Royal House Chapel International in Ghana, ist sein geistlicher Vater und Mentor; er beschreibt Apostel John E. Sagoe wie folgt: «Apostel John Sagoe ist ein respektabler und geschätzter Mann Gottes und ein geistlicher Sohn, den ich seit über 20 Jahren kenne. Er ist ein Mann mit noblem Charakter und einem bewährten Dienst. Ich bestätige die vielen herausragenden Begabungen und Talente, die durch ihn arbeiten, und seinen Einfluss auf den Leib Christi gepaart mit Demut und Liebe für die Menschen, ganz besonders hier in Ghana, aber auch in der Schweiz und anderenorts.»

Mit Apostel John befreundete Pastoren beschreiben ihn als «geistlichen Bulldozer», andere nennen ihn den «Apostel der Gnade». Personen in seinem direkten Umfeld charakterisieren ihn als «immer fröhlichen, liebenden und geradlinigen Mann voller Erbarmen und Feuer des Heiligen Geistes».

John E. Sagoe ist inzwischen Schweizer Staatsbürger und lebt dort auch mit seiner Familie.

Er ist glücklich verheiratet mit Sandra Sagoe und hat fünf Töchter, Grace, Joy, Blessing, Favor und Mercy.